CALME
ET ATTENTIF
COMME UNE GRENOUILLE

*La méditation
pour les enfants...
avec leurs parents*

Titre original : *Stilzitten als een kikker*
Mindfulness voor kinderen (5-12 jaar) en ouders

© 2010, Uitgeverij Ten Have
Publié avec l'autorisation de L'Agence littéraire Wandel Cruse, Paris

© Éditions des Arènes, Paris, 2012 pour la traduction française

ÉDITIONS DES ARÈNES
27 rue Jacob, 75006 Paris
Tél.: 01 42 17 47 80
arenes@arenes.fr

CALME ET ATTENTIF COMME UNE GRENOUILLE
se prolonge sur les sites www.arenes.fr
et www.commeunegrenouille.fr

Eline Snel

CALME
ET ATTENTIF
COMME UNE GRENOUILLE

*La méditation
pour les enfants...
avec leurs parents*

Préface de Christophe André

Traduit du néerlandais par Jacques Van Rillaer

Illustré par Marc Boutavant

LES ARÈNES

« *Les enfants n'ont ni passé ni avenir et,
ce qui ne nous arrive guère, ils jouissent du présent.* »

JEAN DE LA BRUYÈRE, Les Caractères

PRÉFACE

Nous associons volontiers l'enfance à l'insouciance. Mais, comme nous le rappelle la phrase de La Bruyère placée en exergue, cette insouciance est aussi une intelligence intuitive : celle de vivre intensément l'instant présent. Les enfants disposent ainsi, de manière naturelle, de belles capacités spontanées de pleine conscience, qui contribuent à rendre leurs existences plus légères et plus heureuses que les nôtres.

La pleine conscience est cette aptitude de notre esprit à se tourner vers ce qui est là, ici et maintenant, à se rendre pleinement présent à chaque instant que nous vivons. Elle représente la base de nombreuses approches méditatives, dans lesquelles on apprend à la protéger, la développer, et la consolider[1]. Ses vertus ont récemment été étudiées de manière scientifique[2], et elle est aujourd'hui de plus en plus largement utilisée en médecine[3] et en psychothérapie[4].

Les enfants sont au départ de petits maîtres en matière de pleine conscience. Puis ils vont grandir, apprendre à anticiper, à revenir sur leur passé. Et au fur et à mesure de la maturation de leurs aptitudes cérébrales, leur esprit va faire un bond en avant considérable en matière de performances, mais aussi de capacités à souffrir. Comme il est écrit dans L'Ecclésiaste : « Qui augmente sa science augmente sa douleur. »

Peu à peu, bon nombre d'enfants vont alors perdre, ou plutôt cesser d'utiliser, leurs précieuses prédispositions à la pleine conscience. Bien sûr, ils pourront apprendre à les cultiver à nouveau, une fois devenus adultes. Mais finalement, ne serait-il

---

[1] Tich Nhat Hanh. *Le Miracle de la pleine conscience*. L'Espace Bleu, 1996.
[2] Rosenfeld F. *Méditer c'est se soigner*. Les Arènes, 2007.
[3] Kabat-Zinn J. *Au cœur de la tourmente, la pleine conscience*. De Boeck, 2009.
[4] Segal Z. et coll. *La Thérapie cognitive basée sur la pleine conscience pour la dépression*. De Boeck, 2006.

pas plus simple et plus logique de les aider à préserver et à cultiver ce merveilleux capital ?

C'est l'enjeu de ce livre.

Les enfants peuvent-ils méditer ?

La méditation pour les enfants était, voilà quelques années encore, un domaine encore quasi inexploré.

On pensait, d'une part, qu'il s'agissait d'une démarche trop difficile et trop « intellectuelle » pour eux. On sait aujourd'hui qu'il n'est pas nécessaire qu'une méthode de méditation soit complexe pour être utile, et c'est le cas de la pleine conscience : elle est un outil simple et puissant. On a aussi compris que les enfants étaient parfaitement capables d'avoir, à leur manière, une vie intérieure authentique et profonde. De plus, contrairement à ce que l'on croit parfois, la méditation de pleine conscience passe beaucoup par le corps, et les enfants comprennent parfaitement le langage du corps.

On pensait, d'autre part, qu'ils n'en avaient pas besoin, parce qu'ils ne souffraient pas, parce qu'ils ne s'angoissaient pas, ou si peu… Autre erreur ! Les états d'âme douloureux existent bel et bien dans l'enfance. Et il faut éviter le double écueil de les ignorer, comme celui de les sur-médicaliser ou de les sur-psychologiser. Car des approches douces, écologiques, mais parfaitement efficaces existent pour y remédier : c'est le cas de la pleine conscience.

Il existe aujourd'hui un nombre croissant de travaux montrant son intérêt auprès des enfants[5]. Ces travaux concernent l'équilibre émotionnel[6], les capacités de résilience[7], la qualité des échanges familiaux[8] et les capacités attentionnelles, notamment dans le travail scolaire[9] et les

---

[5] Burke C. A. *« Mindfulness-based approaches with children and adolescents : a preliminary review of current research in an emergent field ». Journal of Child and Family Studies 2010*, 19 : 133-144.

[6] Semple R. J. et coll. *« Treating anxiety with mindfulness : an open trial of mindfulness training for anxious children ». Journal of Cognitive Psychotherapy 2005*, 19(4) : 379-392.

[7] Semple R. J. et coll. *« A randomized trial of mindfulness-based cognitive therapy for children : promoting mindful attention to enhance social-emotional resiliency in children ». Journal of Child and Family Studies 2010*, 19 : 218-229.

[8] Reynolds D. *« Mindful parenting : a group approach to enhancing reflective capacity in parents and infants ». Journal of Child Psychotherapy 2003*, 29 (3) : 357-374.

[9] Hupperta F. A., Johnson D. M. *« A controlled trial of mindfulness training in schools : The importance of practice for an impact on well-being ». Journal of Positive Psychology 2010*, 5 (4) : 264-274.

apprentissages[10]. On a aussi montré, bien sûr, l'intérêt — je parlerai même de nécessité — pour les parents de pratiquer eux-mêmes la pleine conscience[11].

Pourquoi inciter nos enfants à méditer ?

Apprendre la pleine conscience à nos enfants serait donc une excellente idée. Une de plus ! Mais ne sommes-nous pas en train de devenir maladivement perfectionnistes et exigeants avec nos enfants ? À force de leur souhaiter le meilleur, ne sommes-nous pas en train de les étouffer sous trop d'activités : artistiques, sportives, scolaires... ?

Cela est un peu vrai, mais la pleine conscience n'est pas une « activité » comme les autres. Elle est quelque chose de beaucoup plus ambitieux.

---

[10] Flook L. et coll. « Effects of mindful awareness practices on executive functions in elementary school children ». *Journal of Applied School Psychology 2010*, 26 : 70-95.
[11] Coatsworth J. D. et coll. « Changing parent's mindfulness, child management skills and relationship quality with their youth : results from a randomized pilot intervention trial ». *Journal of Child and Family Studies 2010*, 19 : 203-217.

Certes, elle peut beaucoup aider les enfants trop stressés, trop dispersés, trop anxieux, à se recentrer et à s'apaiser. Certes, elle peut leur permettre de mieux résister aux multiples sollicitations, interruptions, et autres excès de stimulations de nos styles de vie modernes (si toxiques pour nos esprits, que l'on soit adulte[12] ou enfant[13], surtout si on y est exposé sans discernement et sans modération).

La pleine conscience est un outil pour aider nos enfants à faire face à tout cela. Mais elle peut aller beaucoup plus loin : elle peut les aider à acquérir plus d'humanité. À ne pas devenir seulement des travailleurs et des consommateurs, mais à cultiver très tôt leurs capacités de présence au monde, et de conscience de sa beauté et de sa fragilité.

« L'enfant est le père de l'homme », écrivait le poète anglais Wordsworth. Je suis personnellement persuadé (mais je n'ai pour le moment ni preuves ni études à vous avancer !) que la pleine conscience peut aider nos enfants à devenir de meilleurs adultes.

---

[12] Kasser T. *The High Price of Materialism*. MIT Press 2002.
[13] Bakan J. *Nos enfants ne sont pas à vendre. Comment les protéger du marketing*. Les Arènes, 2012.

Pleine conscience
et pleine humanité

Lorsque j'étais petit garçon, j'adorais prendre mon vélo, rouler seul à travers la campagne, m'arrêter dans un champ ou une clairière, pour m'allonger dans l'herbe et regarder passer les nuages dans le ciel. Je pouvais rester là des heures et des heures, pratiquant la pleine conscience, sans même savoir que je le faisais.

Il me semble que ces moments m'ont façonné de manière décisive. Il me semble que je leur dois beaucoup ce que je suis aujourd'hui. Il me semble qu'un temps équivalent passé devant des écrans de télévision, de consoles, d'ordinateurs, ne m'aurait jamais construit ainsi.

Il me semble que nous devons, que nous soyons parents ou éducateurs, offrir à nos enfants la possibilité de vivre de tels moments. Il me semble, enfin, que c'est capital pour eux, pour les autres humains, et pour notre planète.

Il y a quelques années, j'ai découvert que la phrase « l'enfant est le père de l'homme » dont je parlais plus haut, figurait dans un des poèmes de Wordsworth, « Arc-en-ciel » que j'ai traduit ici :

My heart leaps up when I behold
A rainbow in the sky:
So was it when my life began;
So is it now I am a man;
So be it when I shall grow old,
Or let me die!
The Child is father of the Man;
And I could wish my days to be
Bound each to each by natural piety.

Mon cœur bondit de joie
Lorsque paraît l'arc-en-ciel:
Il en était ainsi lorsque j'étais enfant;
Il en est ainsi aujourd'hui;
Et qu'il en soit ainsi dans mon grand âge,
Ou plutôt mourir!
L'Enfant est le père de l'Homme;
Et je prie pour que mes jours restent
Toujours liés les uns aux autres
Par cette piété naturelle.

La pleine conscience nous met sur le chemin de cette « piété naturelle », sur la voie du respect de la vie (et de nous-même) et sur celle de l'émerveillement.

Lorsque nous aidons nos enfants à vivre plus souvent en pleine conscience, nous les aidons bien au-delà de ce que nous croyons. Car nous les aidons alors à préserver toutes leurs capacités d'humanité. Pratiquer avec eux les exercices décrits dans ce livre, vivre à leurs côtés des moments de pleine conscience, représente sans doute un des plus beaux cadeaux que nous puissions leur faire.

Un cadeau dont ils se serviront toute leur vie.

Christophe André

P.-S. : qu'il me soit permis de remercier ici mon ami Jacques Van Rillaer, qui a assuré avec talent la traduction de cet ouvrage, et qui a toujours été pour moi un modèle de rigueur, d'humanité et d'honnêteté.

Christophe André est médecin psychiatre à l'hôpital Sainte-Anne, à Paris.
Il a publié notamment *Méditer, jour après jour. 25 leçons pour vivre en pleine conscience.* Éditions de l'Iconoclaste, 2011.

1

INTRODUCTION

Mon corps veut dormir, mais pas ma tête. Que faire ?

Quand ma fille avait 5 ans, elle avait du mal à s'endormir. Elle me demandait souvent : « Quand mon corps est fatigué mais pas ma tête, comment faire pour dormir ? » Parfois, à dix heures du soir, elle n'avait toujours pas trouvé le sommeil. Elle se levait. La fatigue s'accumulait. Toutes sortes d'idées lui trottaient dans la tête. Des histoires effrayantes l'empêchaient de dormir : Tom ne voulait plus jouer avec elle ; son poisson rouge était mort ; quelqu'un était caché sous son lit et voulait la tuer. Nous avons tout essayé :

raconter des histoires, prendre un bain chaud, faire des exercices de relaxation, dire sur un ton irrité que cela suffisait et qu'elle devait maintenant dormir comme tout le monde. Rien n'y faisait. Finalement, j'ai trouvé une solution : il suffisait que ma fille écoute moins les ruminations dans sa tête et qu'elle fasse descendre son attention, lentement, depuis sa tête jusqu'au ventre ; elle devait essayer encore et encore, jusqu'à ce qu'elle finisse par se calmer. Dans le ventre, il n'y a pas d'idées. Là se trouve la respiration qui, comme une houle douce, bouge constamment. Un mouvement doux, un mouvement apaisant. Un mouvement qui, lentement, la berçait en l'endormant. Ma fille a maintenant 21 ans et elle utilise encore souvent cet exercice.

Un exercice aussi simple peut aider à quitter la tête pour le ventre, là où les idées ne s'agitent plus, là où tout est calme et silencieux.

11

Voilà le premier exercice que j'ai fait avec ma fille. Vous le trouverez sur la plage 11 du CD. Beaucoup d'enfants apprécient ce petit travail de conscience de la respiration tout juste avant de dormir.

La «pleine conscience» intéresse également les parents qui aimeraient bien trouver un moyen de se détacher du flux des pensées qui traversent la tête. Les pensées ne s'arrêtent pas : on peut seulement cesser d'y prêter attention ou d'y attacher de l'importance.

Qu'est-ce que la pleine conscience ?

La « pleine conscience », c'est simplement être présent de façon consciente, comprendre ce qui se passe maintenant, en adoptant une attitude d'ouverture et de bienveillance. Être présent ici, dans l'instant, sans juger, sans rejeter ce qui se passe, sans se laisser entraîner par l'agitation du jour. Non pas penser sur ce qui se passe maintenant, mais être dans l'ici et le maintenant.

Si vous êtes présent à ce que vous vivez au moment où vous vous levez le matin, lorsqu'on vous demande quelque chose, lorsque vous remarquez le moindre sourire de vos enfants ou que vous participez aux petits et aux grands conflits, alors vous n'êtes pas ailleurs avec vos idées, vous êtes ici. De cette façon, vous économisez votre énergie, vous voyez ce qui se passe pendant que cela se passe. Cette présence consciente et bienveillante génère des changements dans votre attitude et vos comportements, envers vous-même et envers vos enfants. Cela se réalise plus au moins spontanément. Cela vient de l'intérieur, sans qu'il soit besoin d'agir.

La pleine conscience, c'est percevoir le soleil sur la peau, sentir des gouttes salées couler sur les joues ; c'est éprouver l'irritation dans votre corps, la joie et aussi le malaise au moment où ils apparaissent. Sans devoir en faire quelque chose, sans tout de suite y réagir ou exprimer ce que vous en pensez. La pleine conscience, c'est être présent avec bienveillance à ce qui se passe maintenant, à chaque moment.

Pourquoi la pleine conscience pour les enfants ?

La pratique de la pleine conscience avec les enfants répond à une aspiration pressante des enfants et des parents qui, en notre époque exigeante, souhaitent le calme physique et mental. Mais le calme ne suffit pas.

De 2008 à 2010, j'ai développé une formation à la pleine conscience pour les enfants à l'école. La formation s'intitule : « L'attention, ça marche ! » Elle est basée sur le cursus classique de huit semaines destiné aux adultes. Trois cents enfants ont suivi cette formation. Douze enseignants et cinq écoles y ont participé, pendant huit semaines, à raison d'une demi-heure de formation par semaine et de dix minutes d'exercices par jour. Les exercices ont continué durant toute l'année scolaire. Les enfants et les enseignants se sont mon-

trés enthousiastes. Ils ont constaté davantage de calme en classe, une meilleure concentration et plus d'ouverture d'esprit. Les enfants sont devenus plus gentils, envers eux-mêmes et envers les autres, ils ont acquis davantage de confiance en eux-mêmes. Ils ont émis moins rapidement des jugements.

Beaucoup de parents m'ont alors demandé si je pouvais leur fournir un ouvrage permettant aux enfants de prolonger, à la maison, la formation reçue à l'école. J'avais écrit un manuel pour les enseignants, les thérapeutes et les formateurs, mais rien pour les parents. Voici le livre demandé.

Ce qui s'apprend enfant servira longtemps

Les enfants sont naturellement curieux. Ils ont envie d'apprendre. Ils restent facilement en contact avec le moment présent. Ils savent faire attention. Toutefois, comme les adultes, ils sont souvent stressés, fatigués, vite distraits, inquiets. Beaucoup d'entre eux *font* trop de choses et ne *sont* pas suffisamment. Ils deviennent déjà grands alors qu'ils n'ont pas vraiment été des enfants. Socialement, émotionnellement, en famille et à l'école, ils ne savent plus où donner de la tête. Ajoutez à cela tout ce qu'ils doivent apprendre et mémoriser. C'est énorme. Le bouton « marche » fonctionne, mais où se trouve le bouton « pause » ?

En s'exerçant à être attentif et consciemment présent, les enfants apprennent à s'arrêter, à reprendre leur souffle et à sentir ce dont ils ont besoin dans l'instant présent. Ils peuvent alors débrancher le pilote automatique. Ils perçoivent mieux les impulsions pour ce qu'elles sont. Ils apprennent à accepter qu'il y ait dans la vie des choses qui ne sont pas agréables, pas cool. Ils apprennent à y accorder de l'attention, une attention bienveillante. Ils apprennent à ne pas dissimuler. Cela leur permet de comprendre leur monde intérieur et celui des autres.

Les enfants qui apprennent à expérimenter l'attention, la patience, la confiance et l'acceptation, pourront ensuite transmettre ces attitudes à leurs enfants. Ainsi s'instaure un circuit du don de l'attention consciente, de sa réception et de sa transmission. Libérés d'hier, libres de ce que sera demain, vos enfants s'enracinent dans le maintenant. Comme un jeune arbre, avec beaucoup d'espace pour croître et pour pouvoir être soi-même. Ce qui s'apprend dans l'enfance peut servir jusqu'à la vieillesse.

Pour quels enfants ces exercices de pleine conscience ?

Les exercices décrits ici conviennent pour tout enfant de 5 à 12 ans, heureux de pouvoir mieux se concentrer, heureux de savoir comment s'apaiser quand les idées n'arrêtent pas de tourner, heureux de mieux ressentir et de mieux comprendre ses sentiments. Ces exercices conviennent également pour tout enfant qui souhaite s'accepter tel qu'il est et avoir davantage confiance en lui-même. Beaucoup d'enfants, en effet, n'ont pas une bonne estime d'eux-mêmes, ils trouvent qu'ils ne sont pas suffisamment bien, pas assez cool. Ils ruminent, ils se débattent avec une certaine image d'eux-mêmes, ils réagissent en se refermant ou en se faisant remarquer, en devenant des « soumis » ou en ne pensant qu'à eux-mêmes, en embêtant les autres et en devenant agressifs.

Les exercices sont-ils également indiqués pour des enfants hyperactifs, dyslexiques ou qui présentent des caractéristiques autistiques ? Oui, la plupart de ces enfants adhèrent aux exercices, mais bien sûr, ce ne sont pas des remèdes à leur trouble. La pleine conscience n'est pas une psychothérapie. Néanmoins, elle permet aux enfants d'apprendre à gérer autrement les troubles ou les problèmes qui les perturbent, comme les orages dans la tête, l'impulsion à toujours bouger ou à faire immédiatement ce qui vient à l'esprit.

2
LE PARENT PLEINEMENT ATTENTIF

C omme la plupart des parents, nous accordons beaucoup d'attention à nos enfants. Pourtant, il y a des moments où nous ne sommes pas avec eux, où nous sommes absents. Les enfants s'en rendent bien compte : « Papa, tu ne m'écoutes pas », « Maman, je te l'ai déjà dit dix fois ». Il nous arrive aussi de réagir trop vivement à une remarque : cela nous a échappé et, après coup, nous sommes désolés. Il nous arrive enfin de penser que nous devrions être plus clairs, dire franchement « non » quand nous estimons que ce devrait être vraiment non.

Comment se fait-il que nous soyons parfois plus impulsif, ou plus énervé que nous le voudrions ? Nous restons tous un peu tributaires d' « anciens codes » de notre jeunesse. Ainsi, une vieille appréhension ressurgit quand notre fils de 13 ans nous dit que notre réaction est ridicule, qu'il sait bien à quelle heure il doit rentrer. Cette vieille angoisse nous empêche de dire ouvertement ce que nous pensons.

Il n'y a pas de recette miracle pour être un parent pleinement conscient. Certes, depuis les temps les plus reculés, les humains connaissent les ingrédients pour se faire estimer et aimer. Les plus connus sont la gentillesse, la compréhension, l'ouverture et l'acceptation. Le contact en est un autre, une caresse sur la tête par exemple.

Vous ne pouvez pas arrêter les vagues

Vous ne pouvez pas contrôler la mer. Vous ne pouvez pas empêcher qu'il y ait des vagues, mais vous pouvez apprendre à surfer, à surfer sans voiles. C'est cela l'objectif central des exercices d'attention.

Nous avons tous des problèmes, nous éprouvons du stress, de la tristesse, nous devons nous accommoder de tas de choses. Si vous parvenez à ne plus simplement chercher à éliminer ces situations, si vous arrivez à être présent à ces moments sans en réprimer certains aspects, sans vous sentir dépassé, alors vous appréhendez vraiment la réalité. Lorsque vous voyez les « vagues » comme elles sont, vous pouvez, avec une pleine attention, faire de meilleurs choix et réagir de façon réfléchie. Dans ce cas, vous prenez conscience du fait que votre patience est à bout ou que vous êtes sur le point de devenir agressif. Et dès que vous en prenez conscience, vous avez le choix. Vous risquez moins d'être entraîné par vos émotions ou celles des autres. Vous pouvez marquer un arrêt, attendre, faire une pause-respiration. Vous observez alors la situation, ce que vous ressentez, ce que vous pensez et ce que vous voudriez faire. Vous prenez conscience des forces qui soulèvent les vagues et de notre tendance à réagir automatiquement. Vous êtes moins préoccupé de ce que les vagues « devraient » être.

Le bouton « pause » peut vous aider (voir la plage 5 du CD). La pause-respiration crée de l'espace pour les enfants comme pour les parents. Suffisamment d'espace pour ne pas s'engouffrer dans une réaction automatique.

5

Daniel a deux enfants très turbulents. Il a tendance à réagir avec colère à leurs demandes, qui deviennent tyranniques quand ils n'obtiennent pas ce qu'ils veulent. « *Je sors de mes gonds quand je suis au téléphone pour quelque chose d'important et que l'aîné ne cesse de m'interrompre pour avoir un bonbon. Ou lorsque le cadet me dit, alors que je me suis dépêché pour aller le chercher à l'école : "Je ne rentre pas avec toi, je rentre avec Jérôme." Dans ces moments-là, je ne me contrôle plus, je m'emporte. En quelques secondes, nous nous faisons face comme des combattants. J'élève automatiquement la voix. J'estime qu'il doit faire ce que JE veux et je l'empoigne. Je constate qu'en définitive, cela ne fonctionne pas. Je suis honteux de mon comportement, car je voudrais précisément donner le bon exemple. Je n'y parviens pas. Cela nous épuise tous.* »

Apprendre à surfer

L'étape la plus importante dans l'apprentissage du surf consiste à marquer un temps d'arrêt, un moment pour observer. Observer la situation.

En décidant de vous arrêter un moment, vous vous donnez la possibilité de réagir autrement aux circonstances dans lesquelles vous vous trouvez, de réagir de façon moins automatisée, moins à la manière d'un frustré. Vous pouvez réagir de façon plus calme, avec plus de compréhension et sans perdre

de vue les limites. Vous comprenez alors que ce n'est pas tant la situation qui constitue le problème que votre propre réaction.

> *Le père de Daniel : « Maintenant, il m'arrive encore de me fâcher, souvent pour les mêmes raisons. Mais j'ai appris à ne plus réagir de façon immédiate et automatique. J'ai compris que mon seuil de tolérance était bas et je l'ai accepté. J'inspire et j'expire plusieurs fois de façon consciente avant de dire ou de faire quelque chose. La différence est énorme. »*

Surfer n'est pas un sport facile. Vous ne pouvez pas fouetter les vagues ou les rapetisser. Les vagues vont et viennent à leur rythme, tantôt hautes, tantôt basses. Parfois elles sont nombreuses (des amis qui divorcent, une mère malade, un emploi menacé), parfois c'est le calme plat. Quand on prend conscience des vagues sans immédiatement y réagir, la vie devient plus sereine.

Surfer contre vents et marées

> *Mon fils vient de naître. J'ai 25 ans et son odeur m'apparaît comme un parfum de fleurs exotiques. C'est mon premier bébé. J'en suis tout de suite tombée amoureuse. Je vis sur un*

nuage rose, tout à fait rose. Comme cet enfant
m'apparaît innocent! Il est adorable.
Comment dire ma stupéfaction et mon désarroi
lorsque, dès le premier jour, je constate que mon
bébé adoré n'arrête pas de pleurer. Il est rouge de
colère et trempé de larmes. Dès que je le dépose
dans son petit lit, il se met à hurler. Il semble
disposer d'un réservoir de vacarme inépuisable.
Comme s'il pensait que je ne sais pas qu'il est là.
Ma frustration et mon irritation augmentent
à mesure qu'il fait plus de bruit. Je dois faire
appel à toute mon attention et à toute ma
patience pour ne pas l'empoigner, désespérée, et
le mettre sur la table à langer en disant: «Et
maintenant, c'est terminé ces hurlements!»
Mais je ne veux pas cela!

J'ai souvent été désespérée par les pleurs intermi-
nables, l'impossibilité de trouver du repos et par
l'idée que je n'étais pas une bonne mère (si je l'étais,
pourquoi mon enfant pleurerait-il autant?). Quand
j'ai pris conscience de ma fatigue et de mes doutes
(«tout le monde peut arrêter les pleurs d'un enfant
sauf moi»), j'ai fini par accepter que mon enfant fût
manifestement un «bébé pleureur». Il y a eu alors
de la place pour une autre attitude:
• J'ai pu finalement m'ouvrir à cette réalité: j'avais
  un enfant pleureur et j'étais une jeune mère épuisée et livide, au bord du burn-out.

- J'ai accepté que le nuage rose et la mère parfaite ne soient pas, actuellement, la réalité. Bien au contraire. Il s'agissait de travailler dur, de dormir peu et de tout faire pour allaiter. J'étais plus inquiète que je ne le pensais. Mon enfant ne se conduisait pas du tout comme je l'avais lu dans les magazines pour parents.
- Cette prise de conscience et l'attitude d'acceptation m'ont soulagée d'un poids qui pesait sur mes épaules. J'ai cessé de refuser ce qui était et je me suis occupée de ce qui se présentait : mon bébé pleureur qui avait besoin de mon amour tout autant qu'un bébé non pleureur. Je humais sa peau douce. Je sentais son petit cœur battre contre le mien. Je suis retombée amoureuse et j'ai pu supporter ses pleurs mieux qu'au début. Je l'ai bercé des heures durant, peau contre peau. Un doux mouvement de balancier, jusqu'à ce que les pleurs diminuent et s'arrêtent de temps en temps. Se détendre, respirer, laisser faire, accueillir.
- Une vieille sage-femme m'a appris à bercer. Elle m'a appris à nourrir comme je nourris, à prendre du temps pour moi-même et à ne pas continuer à me battre contre ce qui est. « Se courber comme un arbre jeune et souple », m'a-t-elle conseillé. Cela m'a apporté de la sérénité, beaucoup de sérénité et de détente. Je savais être là où j'étais, auprès de l'enfant auquel je tenais de tout mon cœur.

Finalement, j'ai réussi à changer ma relation à l'idée du type de mère que je devais être et à l'idée de l'enfant que mon fils aurait dû être. J'ai décidé de faire de mon mieux pour être simplement une maman, avec tout ce que cela comporte de bon et de moins bon. Je me trouvais régulièrement attentive et curieuse quand j'étais surprise. J'ai délaissé de plus en plus souvent mon regard critique. Je n'exigeais plus que les choses soient différentes de ce qu'elles sont. C'est ainsi qu'a commencé un amour durable, au sein duquel ont pu grandir de l'espace, du respect, de l'humour et de l'ouverture, jusqu'à ce que nous devenions comme des arbres solides, qui ont appris bien des choses et qui se procurent mutuellement de la joie. Mon fils a maintenant 31 ans. Il vit l'aventure d'un premier enfant avec celle qu'il aime.

Acceptation, présence et compréhension

Trois qualités facilitent l'accomplissement des tâches, souvent exigeantes, des parents : l'acceptation, la présence et la compréhension. Elles favorisent l'ouverture et le regard sans préjugés, qui permettent aux parents de voir les enfants et de se voir tels qu'ils sont, et non comme ils (ou d'autres) estiment qu'ils doivent être. Ainsi, les enfants peuvent développer un sentiment de sécurité fondamentale et acquérir la confiance en soi-même.

L'*acceptation* est l'attitude de celui qui reconnaît que les choses sont ce qu'elles sont : agréables, un peu ternes, ennuyeuses… Il s'agit de prendre conscience de ce qui se passe au moment présent. Ne vous laissez pas mener par vos attentes ou par ce qui s'est passé la semaine dernière. Un regard frais et ouvert permet de voir ce qui se passe maintenant, et cela est différent de la semaine passée.

La *présence*, c'est être là, tout simplement, ouvert, généreux et sans jugement immédiat. Être présent à cette petite main qui tient dans la vôtre, présent à la crise de colère, au départ quotidien pour l'école, aux moments de bonheur, de malchance, de routine et à tout le reste. Plus vous êtes présent, moins vous ratez des choses. Dans tout cela, il n'est pas question de bien ou de mal. Être présent suffit. La présence conduit au contact, au contact essentiel.

La *compréhension* vous permet d'être authentique dans les moments où vous manquez de présence et de gentillesse, quand votre « patience d'ange » est totalement épuisée et que vous n'êtes plus du tout le parent idéal. Ou quand vos enfants ne se conforment pas à vos attentes, qu'ils crient alors qu'ils devraient faire silence, qu'ils oublient de remercier grand-mère pour un cadeau, qu'ils apparaissent ingrats et croient que vous êtes solide comme un roc.

La compréhension se développe lorsque vous cessez de vivre dans la dépendance réciproque. Un amour inconditionnel durable connaît, lui aussi, des hauts et des bas.

Comment aller de l'avant ?

À la fin de ce livre se trouve un CD avec les principaux exercices de base. Leurs textes permettent de commencer tout de suite. Je les ai écrits pour les enfants et leurs parents. Ils sont inspirés des exercices de la formation à la pleine conscience pour adultes. Ils visent à apprendre à se détendre et à être attentif, à n'importe quel moment de la journée.

Le livre sert de fil conducteur et de moyen d'approfondissement des exercices.

Vous pouvez faire tous les exercices avec votre enfant. Certains enfants aiment les pratiquer seuls. Beaucoup de parents sont heureux de s'y mettre aussi. Vous pouvez méditer sur une chaise, sur un banc ou agréablement étendu sur un lit.

En plus des méditations du CD, le livre présente d'autres exercices que vous pouvez faire avec votre enfant. Vous pouvez les lui lire pendant qu'il pratique ou les lui présenter dans vos propres termes.

Chaque chapitre comporte quelques conseils, utiles en diverses circonstances : en faisant les courses, la vaisselle ou après le repas. Ils s'appellent

« Trucs pour la maison ». Ils conduisent parfois à des découvertes inattendues sur votre enfant ou sur vous-même.

Recommandations pour les exercices à l'aide du CD

FAITES LES EXERCICES RÉGULIÈREMENT

C'est en forgeant qu'on devient forgeron. Il en va ainsi du développement de l'attention : la pratique régulière augmente la compétence. Choisissez des moments prédéfinis, par exemple plusieurs fois durant la semaine à heure fixe. Certains enfants apprécient les exercices dès les premiers essais ; d'autres manifestent des résistances, ils les trouvent ennuyeux ou bizarres. Vous pouvez alors convenir de faire cinq fois l'exercice, puis vous voyez comment ils vivent l'expérience.

PRÉSENTEZ LES EXERCICES AVEC UNE CERTAINE LÉGÈRETÉ

Essayez d'introduire la pratique de manière ludique, avec humour. Si l'enfant s'oppose, dites-lui que vous essaierez encore une fois plus tard.

RÉPÉTEZ RÉGULIÈREMENT LES EXERCICES

Les exercices se déroulent toujours différemment. Chaque moment est différent. Pour cette raison, il est

conseillé de reprendre régulièrement les exercices.
C'est l'occasion de nouvelles expériences.

SOYEZ PATIENT
Les exercices ne débouchent pas toujours sur un
résultat immédiat. La patience est requise, comme
lorsqu'on apprend à parler une langue ou à jouer d'un
instrument de musique. Une chenille ne devient pas
papillon en un jour.

VALORISEZ L'ENFANT QUAND IL S'EXERCE
Il est indispensable d'apporter votre appui à l'enfant.
Nous avons d'ailleurs tous tendance à mieux faire
des exercices lorsqu'on nous dit que nous les faisons
bien.

DEMANDEZ-LUI D'EXPLICITER CE QUI EST VÉCU
Après l'exercice, demandez à l'enfant de mettre en
mots ce qu'il a ressenti. Il ne s'agit pas de juger les
exercices, de dire s'ils sont bons ou mauvais. Ce sont
des expériences du moment présent. La plupart des
enfants aiment en parler, mais si ce n'est pas le cas, ce
n'est pas un problème.

3

FAIRE ATTENTION, ÇA COMMENCE PAR LA RESPIRATION

l est important de prendre conscience de la respiration. En dirigeant l'attention sur la respiration, vous êtes présent à ce qui se passe. Non pas hier, ni demain, mais ici, maintenant. « Maintenant » : c'est ce dont il est question.

Votre respiration est là, tout au long de la vie. Sentez-la. Vous pouvez observer bien des choses : si vous êtes tendu, calme ou inquiet. Vous pouvez retenir votre respiration ou la laisser couler.

Dès que vous observez le mouvement de votre respiration, vous devenez un peu plus conscient de votre monde intérieur et du moment présent. Vous faites un pas vers davantage de concentration.

L'attention à la respiration peut vous aider

Ma fille de 12 ans était désorientée lorsque je lui disais : « Concentre-toi maintenant, tout simplement. » Elle répondait en s'énervant : « Je ne sais pas comment faire. Je ne sais pas résoudre ces problèmes, je ne sais pas me concentrer, tu le sais bien. Je ne veux plus aller à l'école. »

Toute frustrée et sans cesse distraite, il est évident qu'elle ne pouvait pas bien se concentrer ni résoudre ses problèmes. Le livre d'école volait à travers la chambre. Le chaos dans sa tête provoquait chez moi de fortes réactions. J'étais désemparée face à sa violence verbale. Je me sentais fatiguée et manipulée. J'en avais vraiment assez. Comme si mon enseignement avec les enfants des autres et mes formations

pour adultes ne me servaient à rien. Devais-
je être toujours celle qui comprend et accepte?
Oui. Je suis sa mère, celle à qui elle doit pouvoir
se confier sans risquer la réprobation.
Le climat ne s'améliorait guère. Je devais
trouver une solution pour éviter l'escalade.
Un jour, après une éruption digne du Vésuve,
elle claqua la porte, monta dans sa chambre et
s'écroula sur son lit. Dans le silence qui suivit,
je me sentais impuissante. Mais dans ce silence,
je remarquai encore autre chose: j'éprouvais le
sentiment d'être auprès de ma fille. Tout près
d'elle, auprès de son chagrin, de son insécurité,
de sa peur d'échouer.
Je montai l'escalier quatre à quatre et frappai
doucement à sa porte. Je lui demandai si je
pouvais entrer. Je l'entendis grogner. J'entrai.
Elle se releva un peu en bougonnant. Elle
acceptait que je vienne. C'était le moment de
parler de la respiration. Ensemble. Nous étions
épuisées. Je pris sa main, elle s'effondra dans
mes bras en murmurant «désolée maman»
et nous versâmes toutes deux des larmes de
soulagement. Nous sommes restées ainsi
bien vingt minutes, l'une près de l'autre.
Simplement assises et respirant.
L'attention était le mot magique. Et respirer
était le début…

Dans les moments de tension, par exemple juste avant un examen ou une conversation difficile, les enfants sont capables de trouver, dans la respiration, l'aide dont ils ont besoin.

En racontant à vos enfants l'histoire suivante, vous pouvez leur faire comprendre que la respiration peut les aider à se calmer, même lorsqu'ils éprouvent beaucoup de tensions. Les enfants découvrent alors qu'ils ne sont pas obligés de réagir aux événements tels qu'ils se présentent au moment même.

> *Sara, une fille de 10 ans, faisait une promenade à vélo, en famille, quand elle est tombée sur un grillage rouillé. Son genou, ouvert, saignait abondamment. Elle s'est mise à hurler.*
>
> *Sa maman s'est précipitée vers elle, puis lui a parlé en caressant doucement son dos. Pendant que son père téléphonait pour appeler une ambulance, sa maman continuait à lui parler : « Je comprends que tu sois choquée, mais continue à me parler. Comment te sens-tu ? »*
>
> *Sara répondit : « Je pense que je vais vomir, j'ai mal au cœur et j'ai peur ! » Sara se mit à trembler.*
>
> *« Qu'est-ce qui te fait le plus peur ? demanda la maman.*
>
> *– J'ai peur de devoir aller à l'hôpital, qu'on me fasse des piqûres et qu'on m'opère !*

– Nous ne savons pas encore ce qui va se passer, répondit la maman, mais quand tu vis des événements pénibles, il y a toujours au moins une chose qui peut t'aider : respirer, respirer en observant bien ton inspiration et ton expiration. Cela apaise. Et tu peux mieux te détendre. Et quand tu arrives à te détendre, ta douleur diminue. Cela aide. »
L'ambulance arriva. Sara y fut transportée sur un brancard. Deux heures plus tard, elle était sortie de l'hôpital, avec un gros bandage autour du genou. Elle avait dix points de suture. Elle retrouvait ses amies, qui lui demandaient si elle avait eu très mal. Elle répondit : « Oui, j'étais très nerveuse, mais ma maman était là et m'a dit que je devais bien faire attention à ma respiration. Ça m'a aidée. » Certes, les piqûres et les points de suture avaient fait très mal, mais Sara n'avait pas été effrayée. Elle avait même regardé comment le médecin la soignait.

Faire attention à la respiration est toujours une aide, pour les enfants, les parents et les grands-parents. Dans les petits orages et dans les grands. C'est le premier et le plus important pas vers la pleine conscience de ce que vous trouvez difficile ou stressant : suspendre les réactions immédiates et diriger l'attention vers la respiration. Vivre consciemment quelques inspirations et expirations.

Faire attention comme une grenouille

Pour les enfants, l'exercice de «l'attention comme une grenouille» constitue un bon moyen de se concentrer sur la respiration. J'ai élaboré cet exercice et je l'ai très souvent pratiqué avec des enfants de 5 à 12 ans, à la maison et à l'école : ils comprennent facilement l'exercice et le font avec plaisir.

Conseils et recommandations

Pour apprendre à rester assis avec l'attention de la grenouille, vous avez juste besoin d'un endroit tranquille pour vous et votre enfant, un endroit où vous ne serez pas dérangés.

Quand vous faites cet exercice, il vaut mieux que vous en informiez les autres membres de la famille afin qu'ils vous laissent tranquilles pendant toute sa durée.

VOUS POUVEZ INTRODUIRE L'EXERCICE DE LA FAÇON SUIVANTE :

La grenouille est un curieux animal. Elle peut faire des sauts énormes, mais elle peut aussi rester très tranquille. Elle remarque tout ce qui se passe autour d'elle, mais elle ne réagit pas à chaque fois.

Elle respire et se tient tranquille. Comme cela, la grenouille ne se fatigue pas et ne se laisse pas entraîner par toutes sortes d'idées qui lui passent par la tête. Elle reste calme. Elle est complètement calme pendant qu'elle respire. Son ventre gonfle et dégonfle, il va et il vient.

Ce que peut faire une grenouille, nous le pouvons aussi. La seule chose dont tu as besoin, c'est de faire attention, attention à ta respiration. Il faut de l'attention et du calme.

En initiant votre enfant à l'exercice de la grenouille, vous lui apprenez à :

Améliorer sa concentration, ce qui lui permet de mieux mémoriser ;

Réagir de façon moins impulsive (ne pas faire automatiquement ce qui passe par la tête) ;

Exercer une influence sur son monde intérieur, sans condamner quelque chose qui y passe et sans essayer de le repousser.

Rester assis en faisant attention comme une grenouille est un exercice de base important.

Nous avons pratiqué cet exercice quotidiennement avec des enfants de plusieurs écoles à Amersfoort et à Leusden. Nous avons varié les

moments. Il y avait des jours où la concentration était difficile, des jours avec du chagrin ou des disputes. C'était parfois tout juste avant un test de connaissance. Nous avons constaté des progrès : les enfants terminaient plus rapidement leurs travaux, ils étaient plus gentils les uns envers les autres. Ils étaient contents, souvent, de ne pas avoir à se presser, de pouvoir simplement rester assis et respirer. Les exercices les ont aidés à être calmes et détendus.

> *Louis : « Je trouve que c'est super de respirer. Je suis reposé et tout doux à l'intérieur. »*

> *Thomas : « Je ne savais jamais quoi faire quand maman me disait de rester tranquille. Maintenant je sais. Chaque soir, je fais l'exercice de la grenouille avant d'aller dormir. »*

S'exercer à faire attention ne va pas de soi. On ne modifie pas facilement de vieilles réactions. Même avec la conscience de soi. En étant présent à leur respiration, les enfants découvrent à quel point les idées et les représentations à propos du lendemain, apparaissent facilement et perturbent l'attention.

« Je suis brusquement pris par le bruit d'une auto dehors et je pense : c'est sûrement le voisin qui va à la piscine, il y va tous les mardis. J'ai alors l'image de ma leçon de natation, puis je pense aux vacances de l'an dernier, quand nous étions à ce camping où il y avait une piscine avec un toboggan. »

3

En faisant régulièrement la grenouille, vous revenez ici, maintenant, et vous remarquez que vous avez été distrait. Dès que vous le remarquez, vous pouvez revenir à la respiration ou à ce que vous étiez occupé à faire. Faire attention, c'est toujours ici.

Trucs pour la maison

En plus de l'exercice à l'aide du CD, on peut observer la respiration à différents moments : quand on regarde la TV, quand on joue à l'ordinateur, quand on éprouve des tensions ou du chagrin, quand on se lève ou quand on se couche.

Vous pouvez proposer à vos enfants de prendre conscience de leur respiration aux moments suivants :

**LORSQU'ILS REGARDENT UN FILM EN ÉTANT
TRÈS TENDUS**
À la fin du film, demandez-leur s'ils ont remarqué
qu'ils arrêtaient parfois de respirer et ce que cela
signifie. Est-ce que bien respirer à des moments de
forte tension les aiderait ?

**LORSQU'ILS PARAISSENT TRÈS DÉTENDUS
ET HEUREUX**
Vous pouvez leur demander si leur respiration est
profonde ou superficielle, régulière ou irrégulière.
Que pensent-ils alors de leur respiration ?

De cette façon, les enfants deviennent plus
conscients des mouvements respiratoires durant
les moments d'angoisse, de tristesse, de détente et
d'excitation.

4

S'ENTRAÎNER
À L'ATTENTION

Les organes des sens — la vue, l'ouïe, l'odorat, le goût, le toucher — jouent aussi un rôle important dans l'apprentissage de l'attention.

Nous réfléchissons souvent aux informations que nos sens nous apportent. Nous les traduisons et nous les jugeons : « Dès que j'entends quelque chose la nuit, je pense que ce pourraient être des cambrioleurs. » Notre esprit produit, instantanément et sans arrêt, des idées à partir de ce que nous voyons, entendons, sentons, goûtons, et ce n'est pas toujours heureux. Nos attentes et nos désirs sont au cœur de ce processus : « Je dois lui plaire, car il n'arrête pas de me regarder. »

Vous pouvez faire l'expérience de quantité d'autres choses si vous pouvez tenir à distance le bavardage de votre esprit et utiliser vos sens sans juger. Quand vous percevez sans que votre pensée critique intervienne, vous percevez davantage d'aspects de la réalité. Quelle sensation !

Je viens de Mars

Dans une classe de 33 enfants de 9 et 10 ans, nous faisons une petite expérience qui met tous les sens en jeu.
Je demande aux enfants de s'imaginer qu'ils viennent de la planète Mars. Ils sont tout de suite intéressés.
Je leur demande de fermer les yeux et d'ouvrir les mains pour que je puisse y déposer quelque chose, deux petites choses qu'ils connaissent.
Dès qu'ils sentent quelque chose dans la main, ils peuvent ouvrir les yeux et regarder. Mais seulement regarder, sans rien penser. Ils viennent de la planète Mars et ils ne savent pas ce qu'ils ont dans la main.

Que voient-ils ? C'est quelque chose d'irrégulier. « À la fois brun et noir », disent des enfants. Quelle est l'odeur ? « C'est une odeur de plante, mais je ne sais pas laquelle », « ça sent mauvais, mais je ne sais pas comment ça s'appelle ».

Je demande : « Qu'est-ce que vous entendez quand vous mettez les petites choses tout près de l'oreille ? » Un enfant dit : « J'entends gémir. » Un autre : « J'entends comme un très doux ratissage. »

Je leur demande ensuite de mettre les objets en bouche, de les placer entre les dents et puis de bien mordre pour sentir tout ce qu'il y a à goûter. Tout est calme, si ce n'est le bruit de la dégustation. Un garçon dit : « Je sens une explosion de quelque chose de doux dans la bouche. » Un autre s'écrie : « Wouah, c'est à la fois sucré et acide. » D'autres enfants disent la même chose.

Qu'ont-ils reçu ? Deux petits raisins secs. Ils en avaient déjà souvent mangé, mais ils ne les avaient jamais perçus comme ils viennent de les goûter, ils ne les avaient jamais vraiment regardés.

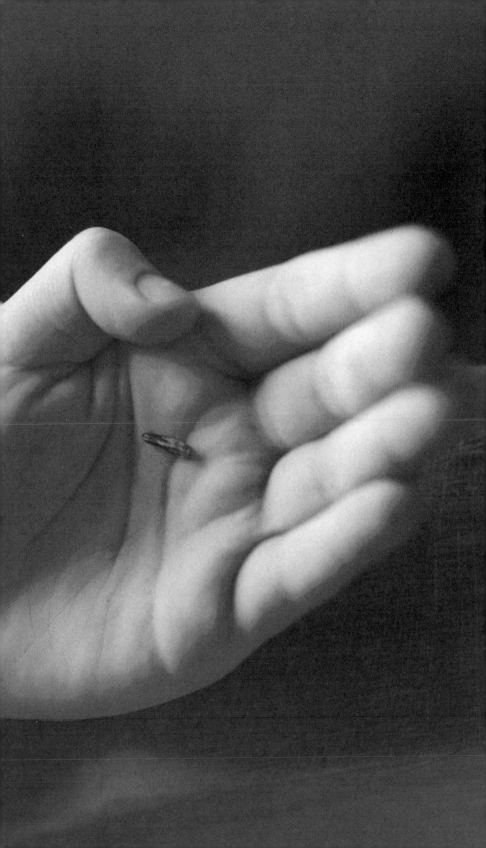

La perception « ouverte »

Percevoir de façon « ouverte », avec curiosité, sans tout de suite se mettre à penser, c'est tout un art, que les jeunes enfants peuvent comprendre.

Dès que nous grandissons, nous formons des opinions et nous avons des doutes. Beaucoup d'enfants manquent d'assurance et pensent qu'ils ne sont pas suffisamment bons.

Dans une classe d'enfants plus âgés, nous avons fait un autre exercice de perception. Douze objets étaient disposés sur un grand plateau et la consigne était : « Regardez les objets avec une attention tout ouverte. Après trente secondes, je les cacherai avec un tissu et vous noterez les objets que vous avez vus. »
Une petite fille réagit immédiatement avec angoisse : « Je ne sais pas faire ça, je ne retiens rien. » Comment pouvait-elle en être aussi sûre sans même avoir essayé ? Je lui expliquai que beaucoup de nos idées ne sont pas justes. Elle fit son possible pour se concentrer et elle retint quatre objets. Beaucoup d'autres enfants avaient retenu le même nombre d'objets. Elle fut étonnée. L'exercice des objets a été répété en classe trois fois par semaine, deux semaines durant. Le score s'est nettement amélioré. Les enfants sont parvenus à mieux se concentrer et donc à mieux

retenir. Et ce qui n'a pas été sans importance : ils ont aimé l'exercice.

Trucs pour la maison

L'observation attentive ne va pas de soi. On peut s'y exercer. Comme pour d'autres apprentissages — jouer de la musique ou faire du sport —, on réussit mieux en pratiquant de façon consciente et fréquente.

Vous pouvez commencer à vous exercer dès que vous vous levez. Voilà, vous êtes d'un coup à l'orée d'un jour tout neuf. Plein de choses que vous ignorez à ce moment vont se produire. Et quand vous vous levez, vous prenez conscience de vos jambes, qui vous conduisent jusqu'à la salle de bains pour que vous puissiez vous laver. Vous sentez l'eau sur la peau. En vous réveillant consciemment, vous prenez conscience de choses que, sinon, vous n'auriez pas observées : vous êtes encore fatigué ou bien reposé, ou déjà stressé. S'éveiller consciemment, ce n'est pas pour foncer dans la journée. Cela permet d'être encore un moment là où vous êtes. Se sentir libre, au lieu d'être déjà en quatrième vitesse. Cela vous aide à être attentif à ce que vos faites et à sentir ce qui se passe au moment où cela se passe. Cela vous permet d'en savoir plus.

REGARDER SANS FAIRE DE COMMENTAIRES
Si vous lui apprenez à regarder sans laisser immédiatement ses idées s'emballer, votre enfant constatera qu'il voit mieux et qu'il retient mieux ce qu'il voit. En regardant avec attention, les choses pénètrent mieux.

Exercice pour les jeunes enfants :
Un exercice amusant consiste à retenir, sur le chemin de l'école, cinq choses vraiment vues (un arbre, une drôle de maison, un panneau de signalisation, la barrière de l'école, la porte de la classe). De quoi cela a-t-il l'air ? L'enfant peut s'exercer à voir de plus en plus d'aspects de l'arbre ou du panneau : les couleurs, les formes, les lignes, le relief. En regardant sans juger si c'est beau ou laid, il découvre davantage la réalité.

Exercice pour les enfants plus âgés :
L'enfant prend une branche d'arbre et la reproduit aussi bien que possible sur une feuille de papier. Il dessine ce qu'il voit et non ce qu'il pense voir. S'il fait cela pendant quelques jours, il constate qu'il voit de mieux en mieux la branche et que son dessin est de plus en plus ressemblant.

VOUS M'ENTENDEZ ?
Bien écouter ce qui est vraiment dit, cela ne va pas de soi. Où sommes-nous avec nos idées ? Pas toujours ici, c'est évident. Mais nous pouvons apprendre à

mieux écouter, exactement comme nous apprenons à mieux voir. Seules conditions : faire attention consciemment et se rendre compte que l'on n'écoute pas vraiment.

S'écouter mutuellement : durant le repas du soir, il est agréable de donner à chacun l'occasion de raconter un événement de la journée ou une expérience importante pendant deux minutes, tandis que les autres écoutent sans juger. Écouter en voulant vraiment entendre et comprendre ce que l'autre dit, c'est sans prix. Écouter un son, sans y accoler une étiquette, facilite la capacité de l'écouter vraiment. Qu'est-ce que vous entendez en ce moment ? Quels sons entendez-vous ? Peut-être un bourdonnement ? Y a-t-il un rythme ? Est-ce que les sons sont derrière vous ou devant ? Sont-ils proches ou lointains ?
Vos enfants peuvent exercer leurs sens comme ils peuvent exercer leurs muscles, en les utilisant.

MANGER AVEC ATTENTION
Manger avec attention paraît simple, mais ce n'est pas si facile. Essayez un jour, avec toute la famille, pendant un repas, de manger sans faire de commentaires du genre : « c'est bon », « c'est mauvais », « j'en ai déjà souvent mangé » ou « je n'aime pas ça ». Ce peut être une expérience surprenante. Faites part de ce que vous sentez

et de ce que vous goûtez lorsque vous prenez une bouchée, que vous la gardez un moment en bouche et que vous l'avalez ensuite de façon consciente.

Prenez une bouchée et observez bien tout ce qui se passe :

- Qu'est-ce que vous goûtez lorsque vous laissez entre parenthèses les jugements en termes de bon et de mauvais ?
- Est-ce salé, sucré ou amer ? Un peu tout cela à la fois ?
- Dans votre bouche, la nourriture est-elle dure ou molle ?
- Que se passe-t-il exactement dans la bouche au moment où vous mangez ? Qu'est-ce que vous éprouvez ? Sentez-vous que la nourriture devient humide ? Que fait votre langue ? Qu'observez-vous quand vous avalez ? Jusqu'où pouvez-vous suivre la nourriture ?

Il est important de manger de façon attentive. Vous goûtez le beurre, le jus de la pomme, le sucre de la banane. Et ce qui est très important : vous remarquez plus rapidement quand vous avez assez mangé. Ainsi, vous ne mangez pas une trop grande quantité.

5
QUITTER
LA TÊTE,
SENTIR
LE CORPS

L'attention à la respiration et aux organes des sens vous permet de vivre le moment présent. La prise de conscience du corps est une autre façon de procéder.

Votre corps peut vous dire beaucoup de choses, si vous prenez la peine de bien l'écouter. Le corps est un instrument très sensible. Il réagit aux émotions : la tension, l'angoisse, la peur, la joie. Il réagit à des idées agréables et à des ruminations. Ces signaux ne sont pas là pour rien. Ils vous renseignent sur l'expérience du moment présent, sur vos besoins et vos limites. Des épaules tendues, des battements du cœur, un nœud dans l'estomac, trop de fatigue pour se lever ou, dès le réveil, le sentiment agréable d'être en forme. Le corps réagit à tout et peut nous informer.

Vous remarquez beaucoup de ces signaux, mais vous n'y réagissez pas toujours de manière adéquate. Vous repoussez les sensations ou les idées qui vous ennuient avec des actions ou des jugements : « ne pas pleurer, c'est infantile », « il faut d'abord terminer le travail, allez ». Il vous arrive aussi de nier ces signaux : « Fatigué moi ? Pas du tout ! » Et vous continuez à jouer, à travailler, à faire plaisir aux autres ou à leur apporter de l'aide. Pour vous soustraire aux sensations désagréables, vous prenez un chemin de fuite : manger des friandises, vous agiter ou vous replier, passer vos nerfs sur quelqu'un d'autre. Les médicaments (notamment les somnifères), le recours incessant au chocolat ou aux chips n'apportent pas la solution. Résultat : un double trouble, à la fois des habitudes néfastes et des sentiments pénibles.

La pleine conscience vous apprend à quitter la tête pour sentir le corps. Si vous prenez la peine de vous arrêter un moment et d'accorder de l'attention à votre corps, vous pouvez observer par exemple que :

- vous êtes encore irrité à cause de ce que l'on vous a dit hier ;
- vous avez un sentiment de tristesse ;
- vous êtes en pleine forme ou vraiment fatigué ;
- vous avez trop mangé ;
- vous êtes inquiet quand vous surveillez un groupe d'enfants ;
- vous devez aller aux toilettes depuis un moment, mais vous ne vous en êtes pas donné le temps.

Écouter les signaux du corps

En règle générale, le corps vous obéit. Si vous êtes en bonne santé et que vous voulez courir, vous courez. Vous voulez écrire à l'ordinateur, les doigts suivent. Vous voulez manger, la bouche s'ouvre et vous avalez ce que vous y introduisez. En apprenant aux enfants à écouter les signaux de leur corps, vous leur apprenez que le corps ne sert pas seulement à réaliser des intentions, mais qu'il délivre des signaux dont ils peuvent prendre conscience. Les enfants apprennent ainsi qu'ils peuvent sentir la fatigue, l'énergie, la saturation. Ils apprennent qu'ils ne doivent pas se mettre à réfléchir à ce qu'ils éprouvent, mais qu'ils ont intérêt à sentir, à reconnaître et à prêter de l'attention, et qu'ensuite ils peuvent choisir : qu'est-ce que je fais de ce que je ressens ?

Dans une classe de trente élèves à Amersfoort, les élèves sont contents quand arrive le moment « On quitte la tête, on va dans le corps ». On dépose les stylos, on enlève les lunettes, on prend les coussins pour y poser sa tête. Les enfants se couchent. Certains sur le ventre, d'autres sur le dos. Tout le monde prend le temps d'un bon soupir.

Je demande aux enfants de prendre conscience du fait qu'ils sont couchés et de diriger leur attention sur le corps. Que constatent-ils ? Qu'observent-ils ? Certains remarquent qu'ils sont agités et ne peuvent se détendre. D'autres qu'ils ont mal au dos ou qu'ils n'ont pas assez chaud.

Je leur demande de rester en contact avec le ventre et de sentir ce qui se passe depuis les pieds jusqu'au sommet de la tête. Ils sont attentifs à leur corps, sans bouger.

Tout est calme. Les enfants sont concentrés, attentifs, surpris. Nous échangeons nos impressions, un garçon dit : « C'est curieux, un de mes pieds a chaud et l'autre a froid. » Une fille déclare : « J'ai senti que j'avais

*mal au genou. C'est drôle, je ne l'avais pas
senti plus tôt. » Une autre : « Je remarque
seulement maintenant que j'ai envie d'aller
aux toilettes. » D'autres bâillent et disent qu'ils
se sentent très fatigués. Un garçon plus âgé
remarque : « Ces derniers jours, j'ai eu mal au
ventre par moments et je le sens de nouveau. »
Quand je lui demande de faire gentiment
attention à son ventre pour voir ce qui se passe,
il dit après un moment : « Je sens que j'ai peur
qu'on me demande de sortir de la classe. Ça ne
m'est pas encore arrivé, mais à d'autres si. Je ne
sais pas ce que je dois faire. » Cette remarque
conduit à une discussion avec l'ensemble des
élèves sur le fait qu'on met parfois un élève à la
porte.*

Les limites

Lorsque vous écoutez les signaux de votre corps,
vous en apprenez davantage sur vos limites. Jusqu'où
pouvez-vous aller ? Comment pouvez-vous le
savoir ?

L'exercice qui suit permet à vos enfants de découvrir ces limites. « Assez » : ce n'est pas trop, ce
n'est pas trop peu, c'est tout juste ce qui est bien.

Exercice : s'étirer en respirant

Mettez-vous debout, les pieds bien plantés au sol. Levez un bras le plus haut possible. Regardez votre main comme si elle allait toucher le plafond. Regardez jusqu'où votre bras peut s'étendre, pendant que vous continuez à respirer comme d'habitude. Jusqu'où pouvez-vous aller ? Il y a une limite. Quelle est la vôtre ? À quoi sentez-vous que c'est votre limite ? À la respiration qui se bloque ? À la douleur des muscles ? Qu'est-ce que vous observez ?

Laissez redescendre le bras. Sentez encore bien un instant le bras et voyez s'il y a une différence avec l'autre. Que sentez-vous maintenant ?

Pendant que vous continuez à respirer normalement, vous levez les deux bras le plus haut possible, les pieds bien à plat sur le sol. Imaginez maintenant que vous êtes sous un pommier et que vous voulez attraper de délicieuses pommes, mais qu'elles sont un peu trop haut. Gardez les bras étendus le plus possible. Que sentez-vous dans le corps maintenant ? Peut-être la respiration est-elle freinée, ce qui signale que le corps est tendu au maximum. Peut-être sentez-vous que le dos ou les bras font mal. C'est aussi le signal qu'il ne faut pas aller plus loin.

Quand vous avez bien compris cela, vous pouvez étendre les bras de façon à bien respirer et à ne pas avoir mal. Jusqu'où pouvez-vous aller ? Quelle est finalement votre frontière ? Pouvez-vous bien la sentir ? Quand vous l'avez sentie, vous laissez calmement redescendre les bras.

Que sentez-vous à présent, pendant que vous restez un moment immobile ? Une impression de lourdeur dans les bras ou de légèreté ? Des picotements ou autre chose ? Comment va la respiration ? Que savez-vous à présent de ce qui est « assez » ? Faut-il toujours s'arrêter quand c'est assez ?

Pour terminer cet exercice ou quand vous vous sentez tout mou, vous pouvez vous revigorer en restant encore un peu debout et en tapotant avec la main fermée, de façon rythmique, les jambes, les fesses, le ventre, la poitrine, les bras, le cou, les épaules. Pour terminer, vous tapotez doucement la tête avec les doigts, vous massez les joues, tout le visage et le haut de la tête. Vous pouvez également faire cela à deux, l'un tapotant l'autre.

Les frontières sont importantes. Elles indiquent jusqu'où aller, quand on mange, qu'on fait du sport ou qu'on taquine quelqu'un. Les enfants, quand ils n'en font qu'à leur tête ou simplement par enthousiasme, dépassent facilement les bornes. Ils ne perçoivent pas bien les limites, ils doivent apprendre à le faire. Pour les parents, cette question n'est pas toujours évidente. Faut-il toujours terminer son assiette ou non? Faut-il jouer à l'ordinateur pas plus d'une heure ou aussi longtemps qu'on veut? Où mettre la frontière? Ni le laisser-aller ni l'autoritarisme ne sont de bonnes solutions. Le mieux est souvent le juste milieu, avec la possibilité de discuter et de prendre des responsabilités. «J'aimerais que tu ranges ta chambre. Si tu le fais avant samedi, c'est bien. D'accord?» Votre fille préférerait la ranger dimanche. Pourquoi pas? Promis c'est promis. Fermeté et flexibilité sont des attitudes essentielles pour établir des limites. Il est également important d'apprendre à votre enfant à ressentir consciemment quand c'est «assez».

En réalisant ces exercices avec vos enfants, vous les aidez à vivre de façon plus consciente leur corporéité.

Un moment de calme et de détente

Certains enfants ne tiennent pas en place. Ils éprouvent des difficultés à sentir les limites et à se calmer. Se relaxer leur est particulièrement difficile. Ils remuent, se balancent ou sautillent, comme si cela leur permettait de gagner un concours.

Le plus jeune fils d'amis est un garçon ouvert et impulsif. Ses grands yeux ne connaissent pas un moment de repos. Sa bouche n'est jamais tranquille. Ses jambes bougent sans arrêt et l'incitent à bondir, comme un jeune faon, pour quitter la table, arrêter de faire ses devoirs et jouer ou entamer une conversation sur un banc. Mon amie lui dit souvent, en soupirant : «Je t'en supplie, sois calme pour une fois, détends-toi», ce à quoi l'enfant répond avec irritation : «Ça bouge tout seul, ce n'est pas moi!»

Détendre son corps de façon consciente, c'est autre chose que se détendre en faisant du sport ou en lisant. Ce n'est pas mieux ou moins bien, c'est autre chose. L'exercice du « spaghetti » est très apprécié des enfants : ils apprennent à transformer les spaghettis durs qui sont dans leur corps en pâtes souples, bien cuites, tout à fait molles.

Grâce à cet exercice, ils parviennent à bien distinguer le repos et l'agitation. En le pratiquant souvent, ils constatent qu'ils font des progrès. Cet apprentissage est plus facile à des moments où ils ne sont pas tendus, par exemple après avoir pris un bain ou après avoir un peu regardé la télévision.

Après l'exercice, les enfants peuvent rester calmes encore un moment et ne pas se lancer tout de suite dans une activité dynamique. Demeurer encore une minute couché, en repos, jusqu'à ce que revienne l'envie de bouger, sans sentiment d'obligation ou de tension. Les enfants découvrent avec étonnement combien la détente est facile et bénéfique. Ne rien devoir faire. Être, tout simplement, sans plus.

Quand les enfants se familiarisent avec les différents signaux de leur corps (relaxation, inquiétude, fatigue, satiété), ils remarquent aussi plus rapidement qu'ils ne vont pas bien, qu'ils ont mal, qu'ils sont malades. «Mais qu'est-ce que c'est être malade?» m'a demandé un jour mon fils de 9 ans, quand il a eu pour la première fois une sensation étrange dans le ventre.

L'histoire de l'écureuil malade

(Adapté d'un livre de Toon Tellegen)

Un jour, l'écureuil était assis sur la mousse, sous un vieil arbre. Il ne se sentait pas bien. Il avait mal au ventre. Le grillon, qui passait par là, vit l'écureuil et lui dit: «Écureuil, tu es malade.» C'est quoi être malade? se demanda l'écureuil. Il décida de poser la question à la fourmi, qui savait beaucoup de choses.
«Ah...», fit la fourmi, et elle se gratta la tête.
«Il y a beaucoup de sortes de maladies. On peut être un peu malade, très malade ou gravement malade.

*– Que se passe-t-il, fourmi, lorsqu'on est
gravement malade ? demanda l'écureuil.
– Bien des choses peuvent arriver, répondit la
fourmi, mais le plus souvent il ne se passe rien.
On redevient bien de soi-même.
– Comment va maintenant ton ventre ?
demanda la fourmi.
– Mon ventre ? dit l'écureuil.
– Oui », dit la fourmi.
À ce moment-là, l'écureuil sentit que son mal
au ventre était passé.*

En forme

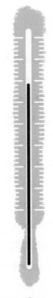

Fatigué

QUITTER LA TÊTE, SENTIR LE CORPS

Trucs pour la maison

COMMENT SUIS-JE DANS MA PEAU ?

- Que ressens-tu dans ton corps ? As-tu parfois mal au ventre ou à la tête ? Te sens-tu parfois mal ? Quand te sens-tu mal ? Veux-tu raconter ce que tu sens ou veux-tu le dessiner ? Est-ce toute la journée la même chose ? Que puis-je faire pour t'aider ?
- Que sens-tu dans ton corps quand tu te réveilles ? Te sens-tu reposé ou fatigué ?
- Copie le thermomètre et indique chaque jour de la semaine comment tu te sens (fatigué est en bas, en forme est en haut).

C'EST BON DE RIRE

- Va devant le miroir et commence à rire. Que se passe-t-il dans ton corps ? Qu'est-ce qui accompagne ton rire : les yeux ? les joues ? la bouche ? le ventre ? les épaules ? autre chose encore ?
- C'est amusant de faire cela ensemble, avec d'autres.

COURIR DE FAÇON CONSCIENTE

- Quand tu montes vite l'escalier, est-ce que ce sont seulement tes jambes qui courent ? Ou bien d'autres choses aussi ? Sens bien tout ce qui bouge.
- Quand tu t'arrêtes brusquement de courir, que

sens-tu dans ton corps ? Comment perçois-tu ta respiration ? Que sens-tu aux muscles, au cœur ?

- Pendant une journée, observe combien de fois tu cours automatiquement et compte combien de fois tu cours alors que ce n'est pas nécessaire.

6

ORAGE
EN VUE

O n peut comparer notre esprit à une grande pièce d'eau, un lac ou un océan. Comme dans toutes les pièces d'eau, des orages et des averses peuvent changer la surface en une masse tourbillonnante, avec de grandes vagues angoissantes. À d'autres moments, l'eau est comme un miroir, lisse et clair, au travers duquel vous pouvez regarder loin, profondément.

Ainsi en va-t-il à l'intérieur de chacun de nous. Un changement d'humeur ou des émotions violentes peuvent surgir à tout moment. Vous apprenez à tenir compte du « temps qu'il fait à l'intérieur », si vous vous abstenez de le chasser ou de vouloir qu'il en soit autrement. Vous vous placez dans la réalité, si vous n'exigez pas que le soleil brille quand il pleut à verse.

Quel temps fait-il à l'intérieur ?

Durant des années, l'une de mes enfants se levait de mauvaise humeur. Elle descendait l'escalier en bougonnant. Les marches encaissaient et moi aussi. « Je t'ai déjà dit que je ne voulais rien manger le matin et tu mets de nouveau une assiette à ma place. » Avant que j'aie pu répondre, un deuxième coup de tonnerre s'abattait : « Où tu a mis mon cartable ? Ta faute si j'arrive en retard à l'école ! » La porte claquait.

Des indices réguliers d'un temps intérieur particulièrement maussade indiquent qu'un orage est en préparation. Un jour, au moment où ma fille descend dans la cuisine, je lui demande de s'asseoir à table. Elle me regarde, encore endormie et de mauvaise humeur. Elle ne veut rien et surtout pas se mettre à table près de moi. Je respire calmement, je sens que mes épaules sont tendues, mais je décide néanmoins de la regarder gentiment, de ne pas me laisser

entraîner par le mauvais temps. Je lui
demande encore une fois de s'asseoir à table.
Je veux un peu parler !
Elle acquiesce en râlant. Coudes sur la table, la
tête entre les mains, les mâchoires serrées.
Je lui demande de bien observer ce qui se
passe en elle. Qu'est-ce qu'elle sent en ce
moment ? Est-ce comme s'il y avait des
éclairs ? Est-ce de l'orage ? Quel chiffre
pourrait-elle donner à cette averse ? Un
huit sur dix, un neuf ? Elle répond dix et
dit brusquement, d'une voix beaucoup plus
douce que d'habitude, qu'elle est morte de
fatigue. Ça ne va pas bien à l'école. Elle a
l'impression de ne plus pouvoir suivre, alors
qu'elle n'arrête pas de faire ce qu'elle peut. Il
y a des problèmes qu'elle ne parvient pas à
résoudre. Son corps se détend. Il s'ouvre aux
sensations désagréables. Des larmes coulent.
Je l'enserre avec un bras, sans rien faire
d'autre.

Le bulletin météo personnel peut aider votre
enfant à comprendre son monde intérieur. Il
vous permet d'explorer son humeur et de l'aider
à l'accepter.

La météo personnelle

En restant en contact avec votre enfant, sans vous opposer à l'averse qui se produit, vous pouvez lui apprendre à ne pas s'opposer à ses sentiments et à laisser, de façon délibérée, les sentiments tels qu'ils sont. Reconnaître des sentiments négatifs permet d'accepter qu'ils puissent survenir. C'est une bonne chose. Ensuite, vous pouvez réfléchir ensemble à ce qui est souhaitable : une caresse ? se disputer gentiment ? téléphoner à un ami ? chercher ensemble comment résoudre un problème ? ou tout autre chose.

En tant que parent, c'est aussi l'occasion d'examiner de près vos sentiments et votre tendance à réagir de façon automatique. Vous observez ce qui se passe en vous. Quand bien même vous n'êtes pas en mesure de résoudre toutes les difficultés, vous pouvez rester proche, permettre à votre enfant d'exprimer ses émotions et de les accepter. Vous lui montrez que vous êtes à ses côtés et que vous l'aimez, quelles que soient les « conditions météo ».

Exercice : consulter ta météo personnelle

Assieds-toi confortablement. Ferme complètement les yeux ou ferme-les presque entièrement, comme tu préfères. Prends tranquillement le temps de découvrir comment tu te sens. Quel temps fait-il à l'intérieur ? te sens-tu détendu ? y a-t-il du soleil à l'intérieur ? ou te sens-tu comme quand il y a des nuages ou qu'il pleut ? Il y a peut-être de l'orage. Qu'est-ce que tu observes ?

Sans réfléchir, tu laisses venir le bulletin du temps qui correspond à ce que tu ressens en ce moment.

Et quand tu te rends bien compte de ce que tu ressens maintenant, tu laisses les choses comme elles sont... Tu ne dois pas vouloir ressentir autre chose ou changer ce qui est. Tout comme le temps qu'il fait dehors, tu ne peux pas changer celui qu'il fait à l'intérieur.

Reste un moment auprès de ce que tu ressens.

Tu fais attention, avec gentillesse et curiosité, aux nuages, au ciel clair ou à l'averse qui arrive... Tu ne peux pas changer ton humeur d'un coup. Mais, à un autre moment de la journée, le temps aura changé... Pour l'instant c'est comme ça. Et c'est bien ainsi. Les sentiments changent, ils changent tout seuls.

Grâce à cet exercice, les enfants apprennent à moins s'identifier à leurs sentiments. « Je ne suis pas une averse, mais je constate qu'il pleut. Je ne suis pas un froussard, mais je vois que j'ai parfois une grosse peur. »

La plupart des enfants trouvent amusant de dessiner le « temps ». Cela leur permet de prendre conscience du soleil, de la pluie ou de l'orage qui

les traversent. Et ce qui est important : ils acceptent
qu'il en soit ainsi.

Trucs pour la maison

ACCEPTER LA MÉTÉO

- Faites ensemble un dessin de votre propre bulletin
  du temps qu'il fait en ce moment. À la fin de la
  journée, voyez si la météo est toujours la même
  ou si elle a changé. Rien ne reste parfaitement
  immobile. C'est important de le savoir.
- En allant à l'école, l'enfant observe les diverses
  conditions météorologiques : il sent la pluie, le froid
  sur les joues, le vent violent, le soleil qui réchauffe
  agréablement. Peut-être pourra-t-il observer que
  l'orage lui fait peur ou qu'il lui apparaît excitant.
- Quelle est l'humeur des parents aujourd'hui ? Et
  celle des frères et sœurs ? L'enfant les observe
  comme il observe le temps qu'il fait, sans critiquer.
  Chez chacun de nous, parfois il pleut, parfois le
  soleil brille.

7

GÉRER LES ÉMOTIONS DÉSAGRÉABLES

L es émotions sont des réactions à ce que vous vivez, pensez ou réalisez. Les émotions de base sont la peur, la colère, la tristesse et la joie. Vous les ressentez toujours dans votre corps. Elles peuvent vous atteindre à tel point que vous vous sentez complètement abattu. Les émotions agréables ou désagréables peuvent vous entraîner avec force. Parfois vous avez l'impression qu'elles vous envahissent. Il y a aussi des sentiments relativement neutres, qui ne retiennent pas beaucoup votre attention.

Vous les remarquez moins que la colère ou la peur, mais ils produisent pourtant un effet sur vous. Comme une musique de fond à peine audible, ils influencent vos attitudes.

Vous voudriez vous débarrasser de la plupart des émotions pénibles et vous voudriez éprouver continuellement des émotions agréables. Contrairement à ce que nous pensons souvent, les émotions pénibles ne durent pas très longtemps. C'est parce que nous ruminons mentalement qu'elles se prolongent.

Certaines pensées surgissent en même temps que des sentiments. Ce sont souvent des idées sur vous-même ou des idées relatives à ce que d'autres pensent de vous : « Si je laisse voir que je suis touché, ils vont trouver que je suis susceptible. » Certains jugements d'autrui amènent à croire que des émotions et des sentiments sont inconvenants : « Si tu fais cette tête, tu peux monter dans ta chambre ; je ne veux pas d'une tête pareille à table. » Vous pouvez en déduire que vous n'êtes pas OK. En réalité, vous avez des sentiments, mais vous n'ÊTES pas vos sentiments.

Si vous apprenez à vos enfants à reconnaître leurs émotions, à les sentir et à les supporter, vous leur procurez un apprentissage fondamental. Les émotions et sentiments ne doivent pas être réprimés, transformés ni tout de suite exprimés. Il importe de pouvoir simplement les éprouver, leur prêter de l'attention, une attention qui soit amicale.

Pendant que je suis occupée à préparer mes cours pour le lendemain, ma fille arrive à la maison avec une amie. Quelque chose ne va pas. Quand je leur demande si elles veulent boire quelque chose, l'amie éclate en sanglots. Ses maigres épaules sont secouées par le chagrin qui l'envahit. Ses parents vont divorcer. Elle raconte ce qui se passe, par bribes. Son père aime une autre femme. La douleur est intense. Ma fille ne dit rien, elle prend son amie par l'épaule et écoute. Elle l'écoute intensément, sans l'interrompre, sans émettre de jugement. Elle a compris qu'il ne s'agit pas, à ce moment-là, de parler de culpabilité ou d'un problème à résoudre. Il ne s'agit même pas de pleurer avec elle. L'important c'est d'être pleinement attentive, de témoigner une attention chaleureuse.

Il n'y a pas d'émotions insupportables

Il arrive que des émotions soient difficiles à supporter, notamment à cause des pensées et des actions qui les accompagnent, mais il n'y a pas d'émotions qui soient tout à fait insupportables. Par ailleurs, une émotion vous renseigne sur ce que vous vivez, mais ne renseigne pas toujours sur la réalité. Il est important d'apprendre aux enfants ce qui suit.

- On peut ressentir des émotions dans son corps, on peut leur accorder de l'attention jusqu'à ce qu'elles se modifient, sans pour cela se laisser entraîner par elles ou vouloir les réprimer. Il peut être utile de les traduire en mots ou de les dessiner.
- On n'est pas ses émotions, on a des émotions. Je ressens de la tristesse, mais je ne suis pas un pleurnicheur.
- Toutes les émotions sont naturelles, mais toutes les actions ne sont pas acceptables. On peut changer des façons d'agir, pas les sentiments.

Une mère me parle des moments de tristesse de son fils. Celui-ci peut se trouver complètement envahi par un sentiment de trahison : « Louis a un sens aigu de la justice. Il a confié un secret à un camarade de sa classe, un code pour un jeu sur Internet. La main sur le cœur, le camarade a promis de garder le secret. Le lendemain, plusieurs élèves connaissaient le code. Louis était tellement triste et fâché qu'il donnait l'impression d'être malade. Il a décidé de ne pas aller à l'école et s'est mis au lit. »

Sophie (9 ans) me confie qu'elle a « peur de tout » : « J'ai peur du tonnerre, des disputes, des fantômes sous mon lit. J'ai peur à cause de ce que je ne sais pas. Je n'ose pas aller seule à l'école. » En parlant, des larmes apparaissent dans ses yeux.

*Quand je lui demande de sentir ses peurs et de
voir où elles se trouvent, elle répond : « Je les
sens dans mon ventre, elles bougent ; de haut en
bas et de bas en haut. » Je lui demande de rester
auprès de cette sensation et de ces mouvements.
Elle ferme les yeux, se concentre et observe ce qui
se passe alors. Elle dit : « Ça bouge encore. » Et
puis : « Ça devient plus petit. » Je lui demande
de rester encore attentive à ces sensations, avec
une attention douce et gentille. Après quelques
minutes, elle ouvre les yeux et dit, tout étonnée :
« La peur a disparu. » Elle rejoint ses camarades
en sautillant.*

Les enfants comme les adultes peuvent se trouver profondément perturbés par des émotions intenses. Ils ne savent comment les gérer. Dans votre rôle de parent, il est utile de leur apprendre à oser se confronter à ces émotions, à oser leur accorder une pleine attention.

Les enfants s'apaisent lorsqu'ils comprennent que l'on peut accueillir, avec compréhension, la tristesse, l'angoisse, la colère ou la joie. Ils apprennent ainsi à gérer la violence du « temps météo ». Ils apprennent que les émotions passent, comme les averses. Lorsqu'ils sont malgré tout submergés par une émotion, cet apprentissage les aide à chercher une échappatoire dans des jeux, dans des caresses avec le chien ou en allant sur les genoux d'un parent.

Les enfants veulent parfois parler des sensations qui les bouleversent. Les écouter vraiment suffit dans ces moments-là. D'autres enfants préfèrent ne pas s'exprimer. Il suffit de leur dire qu'on reste à leur disposition pour le moment où ils auront envie de parler.

Gérer les colères

Les colères sont des émotions problématiques. Elles sont fréquentes et difficilement acceptables parce qu'elles peuvent mener à une perte de contrôle du comportement, à la destruction d'objets, à des coups et des blessures. Les colères peuvent se retourner contre soi-même : on se fait mal en réaction au sentiment d'impuissance.

Les colères sont provoquées par les situations suivantes :
- vous n'obtenez pas ce que vous voulez (de l'attention, de la consolation, avoir raison) ;
- vous obtenez précisément ce que vous ne voulez pas (une dispute, des tensions, une mauvaise note, un échec dans une compétition sportive) ;
- vos sentiments se trouvent blessés (par des commérages malveillants, par des énoncés du genre : « tu es toujours tellement susceptible », « tu ne peux pas jouer avec nous, tu n'y comprends rien »).

Il est 8 heures 25, l'école va commencer. Nous sommes en mars et il fait neuf degrés dehors. Ma fille de 6 ans croise les bras, les yeux sombres : « Je veux mon manteau d'été. Je ne veux plus le manteau d'hiver. » Je réplique : « Viens Mary, nous sommes en retard, nous devons nous dépêcher. »

« Je ne veux pas aller à l'école. Je veux d'abord mettre mon manteau d'été. » Je vois monter la colère. Mary plonge sur l'armoire pour trouver son manteau d'été. Je la prends par le bras. Elle se dégage et commence à crier : « Je ne veux pas aller à l'école. Tu me fais mal. » Je comprends qu'elle est prise par la colère et que je dois l'aider. Elle ne va pas s'en sortir toute seule. Je l'appelle par son nom, je la regarde et lui dis : « Mary, OK ! Je vois qu'il y a beaucoup de colère. » Je remarque une lueur d'intérêt dans son regard. Se mettre en colère n'est pas si grave. « Peux-tu maintenant, avec ta colère, prendre ton manteau d'hiver et m'accompagner à l'école ? » Elle acquiesce. La tempête se calme. Nous arrivons en retard à l'école. Ce n'est pas une catastrophe.

Entrer dans un tourbillon et en sortir

Le CD comporte trois exercices qui peuvent aider à sortir plus rapidement d'un tourbillon émotionnel.

En réalisant régulièrement ces exercices avec vos enfants, vous les incitez à accepter les émotions telles qu'elles sont et à ne pas y réagir impulsivement. Les enfants découvrent ainsi qu'ils n'ont pas à craindre la violence des émotions. Elles surgissent, parfois elles stagnent, puis elles passent. Certaines émotions sont désagréables, exactement comme dans une fête où tous les participants ne sont pas de bons amis. Cependant, quand vous apprenez à mieux connaître ces émotions, elles vous paraîtront plus acceptables.

5 | 6 | 7

Trucs pour la maison

COMMENT TE SENS-TU EN CE MOMENT ?
À différents moments, vous pouvez aider votre enfant à reconnaître et à identifier les sensations du moment présent. Vous pouvez en discuter et poser des questions comme celles-ci :
- Comment sens-tu ton corps ?
- Comment voudrais-tu réagir ?

- Peux-tu rester auprès de cette sensation, comme tu resterais un moment près d'un ami ou près de ton animal préféré ?

Accueillir les sensations au moment où elles se produisent permet finalement de mieux les reconnaître : « Oh oui, ça c'est la colère. C'est comme ça l'angoisse, c'est très différent de la tristesse. Je peux m'y intéresser et cela m'aide. »

Ainsi les enfants font l'expérience de la traversée d'émotions intenses ; ils comprennent que ces émotions ne nous détruisent pas.

STOP MAINTENANT

Il est important que vos enfants voient et respectent vos propres sentiments d'inquiétude, de frustration, d'impatience, de tristesse, de fatigue. À la fin de la journée, vous avez parfois encore de l'énergie pour un jeu : « OK, c'est la toute dernière fois ! » Parfois vous n'avez plus envie, vous souhaitez seulement vous reposer. C'est bien aussi.

8

LA FABRIQUE DES RUMINATIONS

O n se met à ruminer dès qu'on veut que les choses soient autrement qu'elles ne sont.

« *Souvent je n'arrive pas à dormir parce que je continue à penser à toutes les choses que je n'ai peut-être pas bien faites.* »

« *Je pense très souvent à mon père, que je ne vois pas souvent. Il habite en Allemagne. C'est si loin.* »

« Je ne peux plus aller chez ma tante. Mes parents se sont disputés avec elle et ne veulent plus la voir. C'était ma tante préférée. Ma tête n'arrête pas d'y penser. J'en attrape mal au crâne. »

Il nous arrive souvent de ressasser des idées, mais la plupart du temps nous ne nous en rendons pas compte : nous avons trop de pensées, d'opinions, de jugements et de doutes sur un tas de choses. Nous croyons que c'est en ruminant que nous résolvons les problèmes. C'est une erreur.

Vous pouvez aider vos enfants à se gérer eux-mêmes en leur apprenant à comprendre le monde merveilleux des pensées :
- Il ne faut pas croire toutes ses pensées (par exemple, l'idée « je n'y arriverai pas » n'est pas vraie) ;
- Ils ne sont pas leurs pensées (par exemple, « je ne suis pas assez intelligent » est une idée, pas l'enfant) ;
- Faites-leur écrire les principales pensées qu'ils ressassent et faites-en une liste par ordre d'importance ;
- Les jours suivants, demandez-leur d'observer quand les ruminations apparaissent et de voir s'ils arrivent à ne pas les suivre. Lorsque des pensées ressassées sont observées sans être prises au sérieux, elles peuvent s'estomper, comme la flamme d'une bougie qui ne reçoit plus d'oxygène. Il y a des idées qui continuent à revenir malgré tout.

Elles ont parfois une cause qu'il faut examiner, reconnaître et comprendre, si l'on veut qu'elles ne nous assaillent plus.

Les pensées : que sont-elles finalement ?

Les pensées sont comparables à de petites voix que vous entendez à l'intérieur de votre tête. Ces voix n'arrêtent pas de parler, comme un conteur hors pair. Elles se mêlent de tout, elles ont une opinion sur tout : sur vous, sur le monde, sur vos vêtements, sur ce que vous mangez, sur ce que vous faites ou auriez dû faire. Les pensées concernent ce que vous trouvez difficile ou agréable, ce que vous voulez devenir ou ce qui, la semaine passée, était si énervant. Elles concernent le passé, le présent, l'avenir. Elles sont toutes produites par la fabrique d'idées.

Parfois les pensées vous concernent :

> *« Je ne peux pas m'empêcher de penser à mon examen de plongée de demain et je me dis tout le temps que je vais le rater. »*

Parfois les idées concernent les autres :

> *« Le pauvre ! Il a l'air d'aller mal. »*

« Je rumine souvent sur d'autres personnes. J'ai vu à la télé des gens prisonniers sous de très grosses pierres, parce qu'il y avait eu un tremblement de terre. C'est horrible ! Je voudrais pouvoir faire quelque chose, mais je ne sais pas quoi. »

Les pensées et les sentiments vont souvent de pair. Parfois ils semblent différents, mais ils tendent toujours à être associés. Par exemple : « Je ressens encore de la tristesse parce que nous avons déménagé. Mais je pense que je me fais des films et donc je n'en parle pas. » En tant que parent, vous pouvez être soulagé que votre enfant ne se plaigne pas de ce déménagement, mais le sentiment de tristesse est entretenu par des idées qui reviennent sans cesse. Cela, précisément, mérite qu'on s'y attarde.

Est-ce qu'on peut arrêter de fabriquer des ruminations ?

Beaucoup de gens se demandent si l'on peut arrêter ses propres idées. C'est très intéressant d'essayer de faire ensemble l'expérience de « l'arrêt des idées ».

Un membre de la famille va mesurer un temps de quinze secondes. Les autres fermeront les yeux et essaieront de ne penser à rien.

- Fermez les yeux et essayez, pendant quinze secondes, de ne penser à rien.

- Qu'avez-vous constaté ? Vous êtes-vous dit constamment : « Je ne vais penser à rien » ?
- À quoi avez-vous pensé ?

En fait, vous ne pouvez pas arrêter l'apparition d'idées. Ce n'est d'ailleurs pas nécessaire. Tout se passe comme si les idées étaient fabriquées à la chaîne. C'est ainsi que se forgent les soucis, les pensées gaies, agréables, indésirables, méchantes, les projets, les souvenirs et les solutions. Mais quand les pensées menacent d'envahir vos enfants, vous pouvez leur apprendre à ne plus écouter le flot des pensées. Vos enfants peuvent diriger leurs pensées. Et s'ils arrivent à le faire, ils peuvent exercer une influence sur elles, ils apprennent à ne pas faire tout ce que leurs pensées racontent, à ne plus croire tout ce qui leur passe par la tête. Beaucoup de pensées ne sont pas vraies (« je pense que je suis laid, que personne ne va m'inviter »).

Pour diriger les pensées, il faut d'abord apprendre à les connaître. De quoi parlent-elles au juste ? Pour le savoir, vous pouvez faire l'exercice suivant.

Observer les pensées

Asseyez-vous autour d'une table. L'un d'entre vous aura le rôle de questionneur. Les autres sont les « penseurs ». Le questionneur pose une série de questions (des questions à celui ou celle qui suivent).

Chaque fois, au lieu de répondre, les «penseurs» «écoutent» les réponses produites par la fabrique des idées. Quelles sont les pensées que vous entendez venir? Voyez-vous des images qui les accompagnent? Pour chaque question, le questionneur peut compter cinq secondes.
Voici des exemples de questions:
1. Quel est ton repas préféré?
2. Qu'est-ce qui peut te rendre très heureux?
3. Pour quelles choses te fais-tu parfois des soucis?
4. Quelles sont les pensées qui apparaissent si tu les laisses aller n'importe où (compter ici vingt secondes)?

Les pensées défilent toujours à vive allure, mais vous avez le choix de les suivre ou de les observer pendant un moment et de les laisser ensuite continuer. Vous pouvez d'emblée les croire ou alors les reconnaître, en souriant, comme de vieilles connaissances qui surgissent souvent à l'improviste et racontent des histoires. Vous commencez à mieux comprendre ce qui se passe dans la tête lorsque l'observation vous conduit à prendre conscience que vos pensées ont tendance à vous mener par le bout du nez (par exemple vers l'armoire où se trouvent les chips, dès que vous pensez à un problème que vous ne parvenez pas à résoudre).

Sur quoi ruminez-vous ?

Il nous arrive à tous de ressasser. À ce moment-là, notre esprit nous mène dans des endroits où le doute, l'angoisse et le manque de confiance en soi sont tapis dans l'ombre. Parfois les pensées ne cessent de tournoyer et cela nous empêche de dormir.

Mais quel est donc le contenu de ces ruminations ? Pour le découvrir, nous pouvons réaliser l'exercice suivant avec votre enfant : vous lui demandez quelles idées de la liste ci-dessous apparaissent régulièrement ou de temps en temps. Vous pouvez prendre note des pensées qui s'y rapportent. Ainsi, vous commencez à comprendre des schémas de pensée et comment on y réagit souvent.

Voilà mes ruminations :
1. On m'embête, je pense alors...
2. Je ne suis pas suffisamment bon dans certains domaines, je pense alors...
3. Je me suis disputé, je pense alors...
4. Quelqu'un est très fâché contre moi, je pense alors...
5. Je veux me faire du mal, je pense alors...
6. Je veux faire du mal à quelqu'un parce qu'il m'a fait du mal, je pense alors...
7. Est-ce qu'on me trouve suffisamment gentil ? Je pense alors...

8. La mort des gens et des animaux, je pense alors...

9. D'autres choses : ...., je pense alors...

8

Il peut être utile de parler de la fabrique des ruminations et de faire ensuite l'exercice n° 8 du CD. Juste avant d'aller au lit est un bon moment. La tête se remplit souvent d'idées quand le corps commence à se reposer, quand il n'y a plus rien à faire ou plus de quoi se distraire.

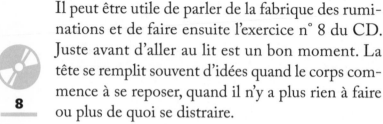

Exercice : premiers secours en cas de rumination

À l'aide de cet exercice, l'enfant apprend à diriger son attention de façon à pouvoir prendre un peu de distance à l'égard du flux des idées. L'enfant peut laisser descendre son attention comme une petite araignée pendue à son fil. Toujours un peu plus bas, jusque dans le ventre. Dans le ventre, il n'y a pas d'idées. Il y a juste la respiration, le mouvement paisible de la respiration. Bien profondément dans le ventre, il fait calme, il n'y a pas de disputes. Là se trouvent la paix et le repos.

Quand vos enfants ruminent, ils doivent avant tout faire deux choses :
1. constater qu'ils ruminent ;
2. descendre de la tête jusqu'à la respiration du ventre. Dans le ventre, il n'y a pas d'idées.

Trucs pour la maison :
la boîte à ruminations

Pour les enfants qui trouvent trop difficile l'exercice de la plage 8 du CD («Gérer les pensées qui tourbillonnent ») et qui préfèrent des activités, on peut utiliser une «boîte à ruminations ». Cette boîte peut être joliment décorée, éventuellement par l'enfant lui-même.

Avant d'aller dormir, vous prenez le temps de demander à l'enfant s'il a encore des préoccupations. A-t-il des soucis ? Des choses qui lui tiennent à cœur ? En prenant la peine d'en parler (au lieu d'éviter d'y penser), on clarifie ce dont il s'agit. Ces pensées peuvent ensuite être placées dans la boîte. On ouvre le couvercle, on y met les pensées, on ferme le couvercle. On place alors la boîte sur une étagère de la chambre, à une certaine distance. L'enfant peut voir la boîte contenant les pensées qui ne se trouvent plus dans sa tête.

9
ÊTRE GENTIL, C'EST AGRÉABLE

La gentillesse est l'une des qualités les plus essentielles de l'être humain. C'est comme une douce pluie qui arrose tout, sans oublier la moindre portion de terre. La gentillesse ne juge pas, elle n'exclut pas — du moins quand il s'agit de véritable gentillesse. Elle va droit au cœur. Elle permet de grandir, d'avoir confiance en soi et dans les autres. Elle console, soigne. Elle rend doux, elle ouvre l'esprit, même quand cela va mal ou qu'on est triste.

Dans un centre hospitalo-universitaire
comprenant trois services de pédiatrie
spécialisés, on constata que les petits patients
d'un service réagissaient mieux aux
médicaments que dans les deux autres.
On ne comprenait pas pourquoi. La gravité
des maladies, l'âge moyen des enfants et le type
de soins étaient comparables.
Les médecins décidèrent de mener une
recherche, au terme de laquelle il apparut que
la variable en jeu était la chaleur humaine.
Dans le service où les enfants évoluaient le plus
rapidement, il y avait une femme de ménage
particulièrement chaleureuse qui venait tous
les jours : tout en nettoyant, elle chantait des
chansons douces, elle prenait le temps d'écouter
les questions et les histoires des enfants, elle leur
caressait tendrement les cheveux.

Beaucoup d'enfants sont plein de gentillesse. Les
jours se déroulent entre légèreté, confiance et rêve.
Pour eux, les choses sont bien comme elles sont.
Mais il peut en aller tout autrement.

François vient en consultation parce qu'il souffre
d'angoisses et d'insomnies. Les parents racontent
qu'il subit des brimades à l'école. Ces brimades
ne sont pas violentes, mais elles le minent. Cela
a commencé par les pneus de son vélo qu'on a

dégonflés. Ensuite son blouson était chaque jour déplacé, de sorte qu'il devait le chercher partout dans l'école. Maintenant, quand il sort de l'école, un petit groupe d'élèves l'entourent et se moquent de lui. Il n'ose plus rentrer seul chez lui. Il se sent seul, vulnérable, désespéré. Il pense que c'est de sa faute et perd confiance en lui.

Heureusement, François a mis ses parents au courant du problème. Lorsqu'ils s'aperçoivent que l'enfant n'en dort plus, ils cherchent de l'aide. Ils veulent que François apprenne à se défendre et ne se sente plus comme une victime. Il va au cours de judo et apprend à être plus affirmé. Il reste un enfant aimable, mais ne se contente plus de subir les taquineries.

Rendre coup pour coup : est-ce la bonne solution ?

Certains pensent qu'il ne faut pas se laisser faire et rendre la monnaie de la pièce dès que l'on est mis en question. Ce n'est pas mon avis. L'agressivité conduit finalement à davantage d'agressivité et de résistances. On peut montrer qu'on n'est pas un mouton, qu'on est bien dans sa peau et faire comprendre qu'on a d'autres ressources.

L'histoire du serpent

Un serpent en avait assez de voir tout le monde s'enfuir en criant dès qu'il apparaissait. Il alla dans le bois voir un vieux sage pour lui demander ce qu'il devait faire pour ne plus effrayer les gens à ce point. Le vieux sage réfléchit un instant et lui dit : « Tu pourrais essayer de ne plus siffler, de ne plus montrer tes crochets à venin et de faire comme si tu étais inoffensif. »

Le serpent décida de suivre les conseils, mais ce fut sans succès. Les habitants du village comprirent que le brave animal n'était plus dangereux et lui jetèrent des pierres. Le serpent pouvait à peine survivre. Il retourna voir le vieux sage.

Le vieux sage recommanda au serpent de montrer ses joues puissantes et ses muscles, mais de ne pas cracher son venin ni de mordre. Grâce à ces conseils, les gens du village restèrent à une distance respectueuse. Ils sentirent que c'était du sérieux, tandis que le serpent circulait tranquillement dans le village. Rien ne se passait, mais tout le monde savait ce qui pouvait se produire.

Être aimable : ça se travaille

Au cours des exercices de gentillesse, les enfants s'exercent à prendre pleinement conscience des personnes qui les aiment particulièrement. Ils prennent la mesure du sentiment d'amour. Beaucoup d'enfants évoquent spontanément leur mère, leur père, mais aussi leur belle-mère, leur beau-père, des grands-parents. Ensuite, ils apprennent qu'ils peuvent envoyer le même courant d'amour chaleureux à d'autres personnes. Ce peut même être vers un parent ou un grand-parent décédé.

On peut envoyer des pensées amicales et souhaiter que l'autre soit heureux, à n'importe quel moment. On peut aussi le faire vis-à-vis de soi-même.

Un garçon, qui faisait toujours le dur, déclara avec étonnement à la fin de cet exercice : « Je vois que beaucoup de gens m'aiment, mais, ajouta-t-il en pointant un doigt sur sa poitrine, je ne me trouve pas moi-même gentil ! » Brusquement, il avait l'air petit et vulnérable.

Les enfants apprennent que ce n'est pas grave s'ils se comportent de temps à autre de manière désagréable (chacun est parfois de mauvaise humeur ou s'exprime de façon blessante). Si l'on prend conscience qu'on est désagréable au moment où l'on se comporte de la sorte, on se comprend mieux et on se sent davantage libre d'agir. Cette compréhension va dans le sens de la compassion, elle va dans le sens d'un monde meilleur, auquel on

contribue. C'est agréable d'être aimable, y compris pour soi-même.

Durant un cours de gymnastique, vingt-huit enfants d'une dizaine d'années forment un cercle pour le jeu du «ballon des compliments». Le premier enfant prend le ballon, cite le nom d'un camarade de classe et dit, en lui envoyant le ballon : «Je trouve formidable que, lorsqu'on se dispute, tu soies toujours le premier à vouloir la réconciliation. — Merci beaucoup», répond celui qui reçoit le ballon. Celui-ci réfléchit un instant avant de l'envoyer à une fille, puis il lance le ballon en disant : «Je te trouve super parce que tu es toujours toi-même. Tu ne fais jamais semblant.» La fille attrape le ballon en recevant le compliment et esquisse un timide sourire. Elle envoie le ballon à une autre fille en disant : «Toi tu es une vraie amie. Tu sais si bien écouter.»
Finalement le ballon est envoyé à un garçon qui irrite souvent les autres. Il reçoit le compliment : «Je te trouve bien plus gentil que l'an dernier.»
Après une pratique répétée de cet exercice, les enseignants ont constaté des modifications dans la classe : «Les élèves disent plus facilement que quelque chose est super quand l'un d'eux a réalisé une tâche difficile», «ils s'aident

davantage», *«il y a moins de petits groupes fermés».*

Les plages 9 et 10 du CD peuvent sensibiliser les enfants à la prise de conscience de moments agréables.

9 / 10

Trucs pour la maison

Nous apprécions tous les compliments. Il est particulièrement valorisant d'entendre dire que nous sommes des gens «bien», que nous sommes estimés tels que nous sommes. Nous sommes touchés quand quelqu'un nous dit ce qu'il apprécie chez nous. Nous nous en souvenons parfois pendant des années. Certains conservent dans leur cœur, comme un joyau, des compliments sincères et des remarques aimables.

APPRENDRE À PRENDRE CONSCIENCE DES COMPORTEMENTS DÉSAGRÉABLES

Chaque membre de la famille peut faire cet exercice avec un simple élastique ou un bracelet personnel. «Tu le portes à ton poignet droit. Chaque fois que tu fais une bêtise, que tu manques d'amabilité vis-à-vis d'un autre ou vis-à-vis de toi-même, tu mets le bracelet à l'autre poignet. Lorsqu'un autre incident se produit, tu changes à nouveau le bracelet de côté. Ainsi tu remarques plus facilement quand tu te comportes de façon désagréable. Les autres n'ont pas à se mêler de cette procédure. C'est ton affaire, c'est toi qui l'appliques. »

Le but de cet exercice n'est pas de prévenir des conduites non aimables, mais de prendre conscience de cette catégorie de comportements. Cet apprentissage permet de mieux choisir : maintenant que je remarque cette conduite, est-ce que j'arrête ou est-ce que je continue ?

REGARDER PLUS LOIN QUE LE BOUT DU NEZ

« Réfléchis à une personne de ton entourage (familial ou scolaire) que tu n'aimes pas ou qui te cause du souci. Cherche tranquillement une caractéristique positive chez cette personne. Il ne s'agit pas d'imaginer que cette personne devienne un(e) ami(e), mais de reconnaître qu'elle n'est pas totalement désagréable. »

JE T'AIME PARCE QUE...

Voici un exercice auquel peuvent participer tous les membres de la famille qui savent écrire.

Chacun reçoit une feuille avec le nom de tous les membres de la famille.

Un parent explique : « Vous prenez bien le temps de laisser venir à l'esprit ce que vous appréciez chez chacun. En face de chaque nom, vous écrivez une chose que vous trouvez agréable, super ou inoubliable chez cette personne. » Tous les papiers sont ensuite remis à un des parents.

Le parent, qui a rassemblé les indications, écrit chaque nom, suivi de tous les compliments cités, sur des petits papiers. Chacun trouvera son petit papier de compliments sous son oreiller.

C'est émouvant de découvrir à quel point on est apprécié ou aimé, tel que l'on est. Cela fait chaud au cœur de lire, noir sur blanc, ce que l'on entend (trop) peu souvent.

10
PATIENCE, CONFIANCE ET LÂCHER PRISE

Notre vie serait bien plus agréable si nous avions la patience d'une chenille qui attend dans son cocon de devenir papillon, si nous avions encore la confiance d'un nouveau-né et si nous pouvions lâcher prise comme une feuille en automne. Mais nous voulons souvent que les choses soient autrement qu'elles ne sont : meilleures, plus sûres, plus belles, plus faciles ou comme elles étaient autrefois.

Nous éprouvons tous, à certains moments, de la déception, la tristesse d'être seul, l'angoisse que les choses ne s'arrangeront jamais. Dans ces moments surgit un puissant désir que les choses adviennent autrement. Bien sûr, les souhaits et les désirs sont importants. Ils sont les premiers pas vers un monde meilleur, un lieu plus sûr, une santé aussi bonne que possible. Il est tout à fait sain d'avoir des désirs et des souhaits, mais cela pose aussi des problèmes. Les désirs nous portent toujours vers ce que nous n'avons pas, plutôt que vers ce que nous avons. Comment les gérer, sans être obnubilé par ce que l'on voudrait et que l'on n'a pas ?

Que faire quand on ne peut pas réaliser ses désirs ?

Il est fréquent qu'un enfant ait des désirs : soit il veut obtenir quelque chose (réussir une épreuve, avoir confiance en soi) soit il désire que quelque chose s'arrête (être houspillé, se disputer avec un ami, être malade, avoir des boutons, grossir). Souvent, c'est en agissant qu'on réalise ses désirs : en travaillant durement, en s'exerçant régulièrement, en mangeant plus lentement. Mais que faire des désirs dont la réalisation ne dépend pas de soi ? Comment se sentir mieux alors qu'on est malade ou comment rester longtemps chez son père qui habite loin ?

Il y a bien des situations auxquelles nous ne pouvons rien changer, parce que l'on est encore trop petit ou, tout simplement, parce que les choses sont ce qu'elles sont. Est-on alors totalement impuissant ? Fort heureusement, nous avons encore la possibilité de changer notre attitude à l'égard de la situation. Dans ce cas, certaines images peuvent nous aider, non des images terrifiantes, mais des représentations de nos désirs.

Le cinéma intérieur

Nous avons tous le pouvoir de visualiser mentalement une scène les yeux fermés. Parfois il s'agit de scènes disparates, parfois ce sont de véritables petits films. C'est un peu comme si nous disposions d'un cinéma intérieur et que quelqu'un actionnait le bouton qui met le film en marche et l'arrête. Tantôt nous apercevons avec précision un individu sinistre entrer dans notre chambre par la fenêtre ou nous nous voyons au moment où nous venons d'échouer à un examen important.

Nous produisons nous-mêmes ces images. Souvent nous n'en avons pas conscience. Ces images n'ont que la valeur que nous leur accordons.

Nous pouvons visualiser des scènes pénibles, mais également des scènes agréables, des images de souhaits. En pratiquant un usage conscient de cette capacité, nous pouvons devenir le régisseur de très belles images.

> *Une fillette de 6 ans reçoit un vélo pour son anniversaire. Devant le regard ébahi de ses parents, elle enfourche le vélo et se met à rouler. Quand les parents lui demandent comment elle a appris cela, elle répond : «J'ai tout le temps vu devant mes yeux comment il fallait faire. J'ai vu que je savais le faire.»*

> *Saskia a fait beaucoup de progrès dans ses présentations orales à l'école. Elle s'est exercée à «rester calme comme une grenouille». Elle a fait des exercices de relaxation au cours desquels elle s'est imaginée devant la classe, calme et confiante en elle-même. Quelques minutes par jour ont suffi.*

L'usage conscient de la visualisation mentale permet d'expliciter des potentialités. Certes, les images n'agissent pas comme une baguette magique, elles ne permettent pas de réaliser des choses qui nous dépassent. Elles concrétisent ce que nous voulons améliorer, fortifier, ce en quoi nous voulons croire davantage. Elles nous aident un peu comme un sculpteur, guidé par ce qu'il imagine, travaille un bloc de pierre. Mais que faire quand les choses sont plus compliquées ?

*« Maman me dit que je suis malade, que la
maladie ne partira pas et que je dois apprendre
à vivre avec elle, mais je ne sais pas comment y
arriver. »*

Visualiser un souhait qui tient à cœur

Quand je demande à des enfants quel souhait leur
tient à cœur, ils me racontent des histoires émou-
vantes, des désirs importants et souvent profonds.
Ils y pensent régulièrement, quand ils sont seuls
dans leur lit, mais n'en parlent guère. Ils craignent
qu'il n'y ait rien à faire ou redoutent de peiner leurs
parents, dont ils savent que la vie est difficile.

*« J'aimerais tant que mes parents se reparlent.
Ils sont séparés et ils ne se sont presque plus
parlé depuis un an » ; « Je ne veux plus être
handicapé, je veux être comme les autres » ;
« Mon grand-père me manque. Je voudrais
qu'il ne soit pas mort. »*

Les images mentales peuvent nous aider même
quand il est question de désirs irréalisables. Il ne
s'agit pas de manipuler la réalité en fonction d'un
souhait, mais de comprendre que tout vient à changer. Les choses changent tantôt par elles-mêmes,
tantôt parce que nous adoptons une autre attitude à

leur égard. Nous ne le savons pas toujours d'avance, mais c'est un fait : le changement se produit inéluctablement.

Patience, confiance et lâcher prise

L'exercice de visualisation suivant induit chez les enfants la patience, la confiance dans le changement à venir, la capacité de lâcher prise, le renoncement à la volonté crispée de contrôler ce qui ne peut l'être.

Exercice de l'arbre à souhaits

Assieds-toi confortablement, le dos droit. Tu peux fermer les yeux ou les laisser légèrement entrouverts. Observe maintenant ta respiration.
Faire attention à la respiration est important. Cela t'amène à être ici, là où tu es assis.
Reste bien attentif à ta respiration... Prends tout ton temps pour sentir le mouvement du souffle. L'air qui entre et puis sort... entre et puis sort.
Maintenant tu peux m'accompagner vers un bel endroit dans la nature. C'est peut-être un lieu où tu es déjà allé ou bien que tu imagines... Prends le temps de le regarder.

Il est calme et joli. On y est en sécurité. De là, on peut regarder au loin. Que vois-tu ?

Si tu regardes bien, tu vois un vieil arbre. Cours vers lui. C'est un vieil arbre, très beau, très spécial : un arbre à souhaits.

Il est là depuis plus de cent ans, il est grand, solide, il a un gros tronc, de grandes branches et de jolies feuilles vertes. Si maintenant tu regardes bien, tu vois des pigeons blancs, assis sur les branches. Certains sont près les uns des autres, d'autres sont plutôt solitaires. Chaque pigeon peut réaliser un de tes souhaits, mais pas tout de suite. Il faudra attendre que le moment arrive. Les pigeons ne peuvent pas réaliser tous les souhaits : seulement ceux qui viennent vraiment de ton cœur et que tu trouves très importants. Un souhait à la fois.

Prends maintenant le temps de penser à un souhait, un souhait qui vient du cœur. Tu ne dois pas faire un effort pour y penser. Tu attends calmement jusqu'à ce que quelque chose arrive tout seul. Cela peut être un sentiment ou une idée. Cela peut être quelque chose dont tu n'as jamais parlé à personne. Qu'est-ce qui te vient à l'esprit ?

Une fois que tu sais bien ce que tu souhaites, tu appelles doucement un pigeon. Tu le laisses venir se poser sur ta main et tu tiens ta main près de ton cœur. De ton cœur, tu fais savoir ton souhait au pigeon. Il va comprendre. Tu donnes le souhait au pigeon et tu le laisses s'envoler. Tu le vois s'envoler.

Il s'éloigne. Il s'éloigne de plus en plus. Il est en route pour réaliser ton souhait. Mais pas aujourd'hui, ni demain. Peut-être pas non plus la semaine prochaine. Mais aie confiance. Il y a toujours quelque chose qui change. Pas toujours exactement comme tu l'aurais voulu. Peut-être pas aussi vite que tu l'aurais voulu. Mais souvent mieux que tu ne l'avais prévu. Peut-être un jour vas-tu le voir, alors que tu n'y pensais plus depuis longtemps. Aie confiance. Laisse aller le souhait et toutes les images qui s'y rapportent.
Tu ouvres calmement les yeux et tu restes encore assis un moment.

Si vous faites la méditation de l'arbre à souhaits avec votre enfant, il est important de parler avec lui de ce qu'il a vécu et d'accepter ses souhaits.

> *Une fillette de 11 ans raconte que sa mère est morte et qu'elle lui manque énormément. Durant la méditation des souhaits, elle éprouve très fort le désir de la revoir. Je lui demande où elle ressent ce désir quand elle pense à sa maman. Son visage se radoucit et elle dit : « Je le sens dans mon cœur.*
> *– Peux-tu aussi la voir quand tu penses à elle ?*
> *– Je la vois un peu, dans la lumière d'une bougie. »*
> *Je lui raconte qu'elle peut, chaque jour, diriger*

*son attention vers son cœur pour voir sa
maman, aussi souvent qu'elle le souhaite. Je
lui demande si elle peut faire un dessin de sa
maman dans son cœur.*

*Trois semaines plus tard, elle m'apporte
fièrement un dessin qu'elle a accroché au-dessus
de son lit. Le sentiment pénible de manque
a fait place à l'acceptation. La fillette parle
chaque soir à sa maman avant de s'endormir.
Brusquement, l'amie de son père lui paraît plus
sympathique.*

*Une fillette fait un récit à sa maman, qui lui a
proposé l'exercice de l'arbre à souhaits. Son vœu
le plus cher est de ne plus être harcelée à l'école.
La maman ignorait la situation. Elle passe
tout de suite à l'action. Elle se rend à l'école
pour en parler. L'institutrice fait une réunion
avec la fillette et la principale responsable du
harcèlement. Le problème est résolu. Ainsi il
arrive qu'un souhait se réalise rapidement.*

Patience, confiance et lâcher prise : ces attitudes
peuvent s'avérer importantes pour gérer nos désirs,
petits et grands. La patience : parce que tout a un
temps qui lui est propre. La confiance : parce qu'il
y a toujours du changement. Le lâcher prise : parce
qu'il permet d'agir sur le désir. Renoncer à contrôler
rigidement n'est guère facile. Il importe de comprendre que ce n'est pas la résignation.

Lâcher prise

Beaucoup de personnes pensent, à tort, qu'abandonner le contrôle signifie abandonner le désir de changer et accepter passivement ce qui est. L'acceptation doit être entendue comme un accueil qui ouvre des portes. On pense qu'autre chose va venir, sans manipuler, sans attendre, sans exiger. Cette attitude libère, elle donne la liberté de choisir la manière d'aborder votre vie et celle de vos enfants, quelles que soient l'ampleur et la force des vagues.

L'histoire du garçon qui voulait surfer

Un petit garçon rêvait de devenir un bon surfeur. Pas un surfeur banal, non : un surfeur de grandes vagues. Il n'avait que 10 ans, vivait loin de la mer et n'avait pas d'argent pour acheter une planche. Il en rêvait souvent. Il fermait les yeux et naviguait sans fatigue sur les flots. Il sentait l'odeur de la mer et la tension de ses muscles. Pourrait-il un jour réellement surfer ?

Un jour, il alla avec ses parents en vacances en Bretagne. Dès qu'il sortit de la voiture, il sentit l'odeur de la mer et regarda la plage. Ce qu'il vit était merveilleux : un petit groupe de garçons était en train de surfer. Il alla vers eux. Un des garçons lui dit : « Tu veux essayer ? C'est stylé ! »

Gêné, le petit garçon répondit : « Je n'en ai jamais fait, mais j'aimerais bien essayer. »

Le surfeur prêta sa planche, une planche blanche avec le dessin d'un joli petit dauphin. Le garçon monta dessus, comme il l'avait si souvent fait en imagination. Et son rêve devint réalité. Il surfait. Il tomba dans l'eau, il se remit sur la planche, il avait encore beaucoup à apprendre. Mais comme il le voulait vraiment, il le fit de mieux en mieux.

Aujourd'hui, ce garçon est moniteur de surf. Il apprend à surfer à des centaines d'enfants. Il ne leur apprend pas seulement à voguer sur l'eau, mais aussi à avoir confiance dans l'avenir et à lâcher prise.

Je souhaite que la pratique de ces exercices avec vos enfants vous aide à devenir plus présents, plus détendus et plus confiants en soi-même.

REMERCIEMENTS

Je remercie mon mari Henk et nos enfants, Hans, Anne Marlijn, Koen et Rik, pour leur profonde aspiration à s'aimer mutuellement et à aimer les autres, à les accepter, à les consoler et à les stimuler en toute occasion.

J'ai été soutenue et encouragée, avec patience et une confiance inconditionnelle, par Wim et Willy van Dijk, Henk Jansen, Jolan Douwes, Leo Bras, Bea van Burghsteden, les élèves, les enseignants et la direction de plusieurs écoles d'Amersfoort et Leusden. Ils m'ont persuadée d'écrire ce livre, dont la forme doit beaucoup à Mirjam Roest. Je les remercie tous vivement pour leur aide.

BIBLIOGRAPHIE

- Fontana, David & Slack, Ingrid (2007) *Teaching Meditation to Children: The Practical Guide to the Use and Benefits of Meditation Techniques.* Watkins, 240 p.

- Kabat-Zinn, Jon (1996) *Où tu vas, tu es.* J.-C. Lattès. Rééd. J'ai lu (2005), 280 p.

- Kabat-Zinn, Jon (2009) *L'Éveil des sens. Vivre l'instant présent grâce à la pleine conscience.* Les Arènes, 450 p.

- Kabat-Zinn, Jon (2010) *Méditer: 108 leçons de pleine conscience.* Les Arènes, 160 p.

- Kabat-Zinn, Myla & Kabat-Zinn, Jon (1998) *Everyday Blessings: The Inner Work of Mindful Parenting.* Hyperion, 416 p. À paraître en 2012 aux Arènes.

ADRESSES UTILES

ELINE SNEL AUX PAYS-BAS
L'Académie pour l'enseignement de la pleine
conscience d'Eline Snel se trouve à Amersfoort.

Pour tout renseignement, vous pouvez
consulter son site :
www.elinesnel.nl ou *www.aandachtwerkt.com*

EN FRANCE
Pour les renseignements généraux, vous
pouvez vous adresser à l'ADM ou Association
pour le développement de la mindfulness* :
www.association-mindfulness.org

Vous trouverez les adresses des ateliers pour enfants
disponibles en France et dans les pays francophones
sur le site d'Eline Snel :
www.elinesnel.nl/eline_snel_mindfulness/fr/

** La pleine conscience, cette forme de méditation
utilisée par Eline Snel*

EXERCICES
À L'AIDE DU CD

1. CALME COMME UNE GRENOUILLE
Méditation de base pour les enfants de 7 à 12 ans. *10 min.*

2. LA PETITE GRENOUILLE
Méditation de base pour les enfants de 5 à 12 ans. *4 min.*

3. ATTENTION À LA RESPIRATION.
DIRIGER ET DÉPLACER L'ATTENTION
Pour les enfants de 7 à 12 ans. *10 min.*

4. L'EXERCICE DU SPAGHETTI
Relaxation pour les enfants de 5 à 12 ans et plus. *6 min.*

5. LE BOUTON « PAUSE ». EXERCICE POUR ÉVITER
DE RÉAGIR IMPULSIVEMENT
Pour les enfants de 7 à 12 ans. *4 min.*

6. PREMIERS SECOURS EN CAS
DE SENSATIONS DÉSAGRÉABLES
Pour les enfants de 7 à 12 ans et plus. *6 min.*

7. UN REFUGE OÙ L'ON SE SENT EN SÉCURITÉ
Visualisation pour les enfants de tous âges. *6 min.*

8. LA FABRIQUE DES RUMINATIONS.
GÉRER LES PENSÉES QUI TOURBILLONNENT
Pour les enfants de 7 à 12 ans et plus. *5 min.*

9. UN PETIT REMONTANT : QUAND LES CHOSES
NE VONT PAS TROP BIEN
Pour les enfants de 5 à 12 ans. *4 min.*

10. LE SECRET DE LA CHAMBRE DU CŒUR.
EXERCICE DE GENTILLESSE
Pour les enfants de 7 à 12 ans. *5 min.*

11. DORS BIEN
Pour les enfants de tous âges. *6 min.*

TABLE

ÉDITION
Catherine Meyer

COORDINATION ÉDITORIALE
Aleth Stroebel

COUVERTURE ET CONCEPTION GRAPHIQUE
Quintin Leeds

MISE EN PAGES
Sandra Fauché

RÉVISION
Nathalie Sawmy

CONSEILLÈRE TECHNIQUE CD
Charlotte Borch-Jacobsen

PHOTOGRAVURE
Les Artisans du Regard (Paris)

Achevé d'imprimer en France
par l'imprimerie Corlet à Condé-sur-Noireau, en juin 2016.

ISBN : 978-2-35204-191-7
N° d'impression : 182162
Dépôt légal : mars 2012